CHATEAU
BEYCHEVELLE

NICHOLAS FAITH
avec la collaboration de Pierre Coudroy de Lille

CHATEAU
BEYCHEVELLE

Photographies
Michel Guillard

Conception graphique
Marc Walter

Olivier Orban

IL A ÉTÉ TIRÉ DE CET OUVRAGE
UNE ÉDITION DE LUXE DE CENT
EXEMPLAIRES RELIÉE PLEIN-CUIR
NUMÉROTÉE DE 1 À 100.

EXEMPLAIRE N° —————————————

Les photos des pages 8, 9, 74, 75, 76 ont été réalisées
par Pascal Hinous de l'Agence Top

Direction éditoriale : Anthony Rowley
Direction technique : Claudine Roth

ELOGE
DE L'ELEGANCE

L e vin de Bordeaux n'est pas une création récente. Si l'on admet, avec la plupart des historiens, que les Romains ont amené la vigne en Gironde, il faut conclure qu'il y a bientôt vingt siècles, donc deux millénaires, que les vendanges existent dans cette bonne vieille Guyenne. En revanche, la notion de château viticole ne doit qu'à l'âge moderne d'être devenue l'image de marque de ce vignoble. Nombre de fermes ne s'appellent château que parce qu'elles font du vin. Aux quatre coins des cinquante-trois appellations qui composent le vin de Bordeaux, il est d'usage de parler de château et d'en boire, sans qu'il soit besoin d'évoquer les donjons, mâchicoulis et autres ponts-levis, qui constituent d'ordinaire les attributs du bâtiment. En d'autres termes, les châteaux de vins ne sont pas aux châteaux ce que les vins de châteaux sont au vin. Du moins pas toujours...

Par une manière de miracle, que ce livre se propose d'exposer, Beychevelle est à la fois un vrai château et un grand vin. Cru classé en 1855, il figure depuis le XVIIIᵉ siècle dans le peloton de tête du Médoc. Mais s'il fallait décerner un prix à l'archi-

tecture, Beychevelle serait «château classé» pour sa beauté classique et son élégance raffinée. Rien de féodal, ni de Renaissance, ni de néogothique, dans ce monument, au charme un peu magique, et souvent copié. Il passe pour un modèle de construction, dont la célèbre chartreuse bordelaise fut, ensuite, l'expression la plus achevée. En vérité, la grandeur de Beychevelle s'impose moins par sa masse que par l'harmonie de ses proportions. Que ce soit côté cour ou côté jardin, le souci de rester à taille humaine a toujours prévalu. Il en découle un attachement particulier pour le visiteur, fût-il touriste de passage, qui voit bien là combien le bonheur de l'homme, et le souci du vin, ont guidé les pas du bâtisseur, à l'exclusion de toute autre chose.

Ce même visiteur observera dès l'entrée la présence d'un vieux cèdre, trônant dans la cour d'honneur. Trône et honneur sont bien les mots qui conviennent à un arbre évidemment emblématique qui, depuis deux siècles, place l'ensemble de la propriété sous le règne de l'ordre végétal. Là où la vigne est reine, et les fleurs si jolies, il fallait un étendard à cette société quelque peu botanique. Le grand conifère annon-

Une des statues

tutélaires

de Beychevelle

7

ce la couleur, au nom des autres espèces cultivées à ses pieds. Cet hommage rendu à la nature, dans un environnement soigné, ratissé, paysagé, d'où sortira un lot de bouteilles élégamment habillées, relève d'une sorte de «combinaison de rêve».

Si notre visiteur est arrivé de Bordeaux, et qu'il a pris la route dite des châteaux, qui passe par Blanquefort et Margaux, il aura d'abord eu l'œil attiré par un petit panneau, planté dans la verdure. Et lu ceci : «Passants, vous entrez sur l'antique et célèbre cru de Saint-Julien. Saluez !» Un peu plus loin, continuant vers Pauillac, il aura repéré, toujours au bord de la route, une gigantesque bouteille statufiée dans les vignes, et portant sur son étiquette «Grand vin de Saint-Julien Médoc». Entre les deux, il aura forcément remarqué, dans une suite de virages montants, le château Beychevelle, avec son parc, ses vignes bien alignées sur le plateau, et la lumière douce et limpide qui baigne l'ensemble.

Beychevelle est le premier domaine que l'on rencontre, en entrant à Saint-Julien, sitôt franchi le pont qui enjambe le chenal délimitant la commune de sa voisine Cussac. De toute l'appellation, il est aussi le plus au sud, position méridionale qu'il partage avec le château Branaire. Ces détails géographiques ont plus d'importance qu'on ne croit. Car c'est cette situation qui a entraîné l'existence d'un hameau, un peu à l'écart du bourg «officiel» de Saint-Julien, un hameau justement appelé Beychevelle. Et si l'appellation d'origine du vin est bien celle de Saint-Julien, le véritable nom du village est Saint-Julien-Beychevelle. Comme si, à lui tout seul, notre château représentait l'autre moitié de la commune...

Son terroir privilégié, et le prestige de ses vins, sont bien à l'image de toute la région viticole de Saint-Julien, qui est exactement le cœur de l'aire de production des plus grands crus du Médoc. Son histoire mouvementée et la personnalité de plusieurs de ses propriétaires, au fil des siècles, lui confèrent un supplément d'âme. Songez donc : se sont succédé dans ces murs des ducs, des amiraux, des ministres, des banquiers, des barons, des marins, des

petits mignons et des grandes dames... Quelle galerie de portraits ! L'un après l'autre, chacun a pris sa part à l'édifice commun, et le château actuel doit un petit quelque chose à tous ceux qui l'ont habité, ou possédé depuis le Moyen Age. Chaque génération l'a anobli à sa manière, consciente que se trouvaient là, à cet endroit précis, un sol, un climat, un paysage, que la beauté des pierres et la qualité du vin se devaient de célébrer.

Regardant indéfiniment couler l'estuaire de la Gironde au bas de ses longues prairies, Beychevelle apparaît aujourd'hui comme une illustration parfaite de la civilisation du vin. Son architecture est une référence pour les amateurs de classicisme ornemental ; son vin est un passage obligé pour le dégustateur avisé ; ses salons ont souvent servi de coulisses à la vie politique, tant sous l'Ancien Régime que sous la République ; et bruissent encore du pas des altesses, des députés et des présidents qu'ils ont accueillis. De toutes les grandes propriétés viticoles du Bordelais, nées à partir du XVIIe dans le sillage de Haut-Brion, Beychevelle n'est-il pas celui qui concentre le mieux l'idée d'un château du Médoc ?...

Une fois posé le principe de cette exemplarité, dont l'ancienneté du domaine et la beauté de ses façades tiennent lieu de garants, il reste à trouver le mot qui va le définir tout entier. A regarder de près la nature du vin, à mesurer l'ordonnancement des terrasses, à contempler le site, il semble qu'un mot s'impose : élégance. Elle n'est pas seulement visible dans les pierres, les boiseries, ou les pelouses du parc. Elle est partout présente à Beychevelle, les tannins eux-mêmes en portent discrètement la marque. Ce château doit avoir dans son sol quelque magie cachée pour réussir à faire un vin à son image, élégant comme lui, avec cette noblesse jamais ostentatoire, mais toujours présente.

Les pages qui suivent s'efforcent de creuser le terroir de Beychevelle, à la recherche de cette arme secrète, et de dépouiller quelques siècles d'histoire, pour percer un mystère qui ne tient, après tout, que dans un verre de vin.

Naissance
d'une seigneurie

Le nom de Beychevelle est indissociable de l'histoire préviticole du domaine : il est lié à la présence du port de «Bayssevelle» qui existait, et même florissait bien avant la création du vignoble. Ce port se trouve non point à côté du château, mais, presque invisible, à plus d'un kilomètre, au bout de la petite route verdoyante, qui mène jusqu'à la «rivière»... Le mot «rivière» ne doit pas surprendre ici. A Bordeaux et dans l'ensemble de la Gironde, il est d'usage d'appeler ainsi la Garonne, et l'estuaire de la Gironde, bien que ce soit peu en rapport avec leur taille souvent imposante. Le vocabulaire viticole fournit un bon exemple de cette sémantique particulière, disant depuis des siècles que les grands crus du Médoc sont ceux dont les vignes regardent la rivière...

Le port de Beychevelle, donc, est assez loin du bourg. La route passe par «la crèche de Beychevelle» à gauche, puis descend dans les palus. Ce sont des terres trop riches pour produire du bon vin, même si elles ont été drainées au début du XVIIe siècle par des Hollandais, spécialistes des polders, qui furent assurément les plus grands ingénieurs de l'époque... Même

avant ces travaux, les palus du Médoc étaient traversés par des chemins conduisant à des petits ports. Ils étaient utilisés pour le trafic fluvial entre Bordeaux et le Médoc, et contribuaient ainsi au grand marché des vins vers la Grande-Bretagne et la Hollande.

Les légendes contiennent souvent une part de vérité. Celle qui fait remonter l'étymologie du mot Beychevelle, jadis orthographié «Bayssevelle», à l'expression «Baisse voile» ne paraît pas contestable. En revanche, l'histoire selon laquelle tous les voiliers passant au large du château devaient baisser la voile en hommage au duc d'Épernon, parce qu'il était grand amiral de France, et propriétaire du domaine, ne saurait être prise au sérieux. L'explication est, certes, tout à fait charmante, et digne de la renommée du lieu, autant que de la personnalité de son seigneur. Malheureusement pour elle, le nom de Bayssevelle existait bien avant l'arrivée dudit amiral, et toutes les vieilles cartes en portent témoignage. Le rétrécissement de l'estuaire à cet endroit pouvait-il être une bonne raison d'affaler les voiles ? C'est peu vraisemblable. Pas plus que la présence de plusieurs forts le long de la rive : celui de

Cussac tout proche, qui fut reconstruit par Vauban au XVIIe siècle, ou celui de Lamarque, ou celui de l'île Paté. Cela ne tient pas non plus. Il faut donc chercher d'autres explications : on peut en proposer trois.

La première serait liée au fort courant qui emmène l'estuaire à Beychevelle, courant suffisant, surtout par grandes marées, pour permettre au bateau de naviguer sans voiles. C'est une hypothèse intéressante, mais la deuxième est plus probable. Au Moyen Age, les navires étaient bien plus lents qu'aujourd'hui. Il leur fallait donc deux marées pour aller de Bordeaux à l'océan. Beychevelle constituait une limite de navigation. Les bateaux s'arrêtaient là, baissaient leurs voiles, et attendaient patiemment la marée suivante. Cette thèse s'accorde parfaitement avec la troisième explication, celle de Bernard Ginestet. Celui-ci pense que beaucoup de petits voiliers remontaient jadis dans les canaux, crastes, esteys, jalles et autres cours d'eau qui se jetaient dans la «rivière». Leur embouchure étroite était souvent difficile à négocier, en raison du courant et des vents : d'où la nécessité d'abaisser les voiles. Bernard Ginestet fait également état d'une autre thèse, mais sans y croire : «Quelques historiens font remonter la légende de "Baisse Voile" aux premiers temps de l'occupation anglaise. Il ne s'agissait point d'un salut maritime, mais d'une obligation faite au navire pour permettre au légat du roi d'Angleterre de percevoir un droit de péage.» Il manque toutefois d'archives sérieuses pour étayer cette idée : de plus, «étant donné la largeur de l'estuaire à cet endroit, il est impossible que depuis la terre, la voix d'une vigie portât seulement au dixième de la distance jusqu'à l'autre rive (± 500 mètres)». Dans le doute, les propriétaires du château ont privilégié le rêve en adoptant pour armes un navire à proue de griffon – le gardien du vin des dieux – affalant ses voiles.

Caisses

à l'embarcadère

du port

de Beychevelle

LES PREMIERS PROPRIÉTAIRES

En 1499, alors que «Bayssevelle» était déjà un port, et que le commerce bordelais renaissait difficilement, après les difficultés causées par la guerre de Cent Ans, Gaston de Foix Candale, vicomte de Benauge, baron de Castelnau et de Langon, se rendit chez Me Frappier, «notaire en Guyenne». Par contrat, il y acheta une gabarre de dix tonneaux, et régla le prix de son transport de Langon à Beychevelle pour quatre francs le voyage... Cette anecdote confirme un point important : la position des Foix Candale, et l'étendue de leurs possessions, dont Beychevelle. Mais à cette époque, le domaine n'était qu'une sous-seigneurie, dépendant d'un domaine plus important : le château fort de Senansan.

A regarder de près le Médoc médiéval, on mesure la différence entre les châteaux de l'époque, et ceux qui sont aujourd'hui connus pour la qualité de leurs vins. Bien sûr, pendant le Moyen Age, jusqu'au départ des Anglais en 1453, le Médoc avait été le centre de production des vins destinés au pouvoir royal. Mais il s'agissait de «vins de l'année», souvent maigres et incapables de vieillir. C'est seulement à partir de la fin du XVIIe siècle que quelques familles de parlementaires bordelais, les Pontac en tête, commencèrent à élever leurs vins dans des fûts de chêne. Ces vins sont connus aujourd'hui sous le nom de «clarets».

Il faut donc considérer les seigneuries médocaines d'avant la fin du XVIIe siècle d'un œil contemporain, comme des possessions beaucoup moins importantes que le château fort de Lamarque, ou surtout celui de Cadillac, qui domine la Garonne entre Bordeaux et Langon. Dans le Médoc du XVe siècle, Senansan était le cœur de la seigneurie. Il s'élevait, pense-t-on, sur l'emplacement de l'actuel château Saint-

Les cabanes

de pêcheur

dans les roseaux

près du port

Pierre. endroit naturel pour surveiller la route entre Bordeaux et Pauillac. Depuis le XIVᵉ siècle et jusqu'en 1530. les paysans de Saint-Julien rendaient leurs hommages aux seigneurs de Senansan. C'est à partir de 1544 qu'ils commencèrent à les rendre à ceux de Beychevelle.

Pour aussi loin que l'on puisse remonter. il apparaît que ce domaine n'a jamais été dans des mains roturières. mais vécut toujours sous la protection de familles puissantes. «A chaque siècle. écrit encore Bernard Ginestet. la terre de Beychevelle a appartenu à des hommes de pouvoir. que celui-ci fût régalien. impérial ou républicain.» La famille Achille-Fould en donne un bon exemple. mais avant elle aussi le duc d'Épernon. et les Foix Candale. Ce sont donc ces derniers qui achetèrent Beychevelle en 1446 à leurs lointains cousins. les Archambault de Grailly.

Les Foix Candale étaient issus d'une des plus illustres lignées de la France méridionale. celle des comtes de Foix. Roger Iᵉʳ. comte de Foix autour de l'an mille. était un fils du comte de Carcassonne. En épousant l'héritière du vicomte de Béarn. il constitua un véritable empire féodal aux pieds des Pyrénées. Un autre comte de Foix. Gaston Phébus. fut une figure marquante du XIVᵉ siècle. Vaillant chef de guerre. politique avisé mais retors. grand chasseur. il nous est bien connu grâce aux «chroniques» de Froissart qui fut attaché à son service. C'est lui qui organisa la première route commerciale. allant de la haute vallée de la Garonne jusqu'à Bayonne. et construisit les forteresses de Mauvezin. Pau. Morlanne et Orthez.

Le plus célèbre descendant des Foix-Béarn fut «lou nouste Henric». fils de Jeanne d'Albret. qui devint roi de France et de Navarre en 1589 sous le nom d'Henri IV. On sait qu'il vint souvent au château de Cadillac pour des fêtes de famille. entretenant des relations très amicales avec ses

cousins girondins. les Foix Candale. Ceux-ci possédaient en Guyenne des biens considérables. au point qu'ils exerçaient des droits féodaux sur près de quatre-vingts paroisses. alors que le diocèse de Bordeaux n'en groupait au total que quatre cents... Les vicomtés de Castillon et de Benauge. les baronnies de Rions. Cadillac. Langon. Castelnau. vingt-sept paroisses de l'Entre-deux-mers. douze autour de Castillon. sans compter celles du nord Médoc. tout cela était à eux. et bien d'autres terres encore. Sur ces terres. beaucoup de vignes. Et à l'image des marquis de Ségur. qui furent propriétaires à la fois de Latour et de Lafite. les Foix Candale auraient pu être appelés «princes des vignes». deux siècles auparavant. Mais le vin n'était pas encore ce qu'il allait devenir. et ils n'étaient en ce temps-là que des seigneurs comme les autres.

«L'inventaire des titres de Beychevelle» fut dressé autour des années 1645 par le deuxième duc d'Épernon. Conservé dans les archives privées. il renferme un contrat daté de 1565 «par lequel Messire Frédéric de Foix. chevalier de l'ordre du Roi. captal de Buch. comte de Candale. d'Estrac et Benauge. donne Baissevelle à Monsieur François de Foix Candale son frère. à la charge que ledit François lui en fasse donation après son décès. ou à ses héritiers». Cette dernière condition s'explique parce que «ledit François» était prêtre. Mais. premier de la famille à porter le titre de baron de Beychevelle. il s'en montra particulièrement digne en faisant construire le premier château de Beychevelle.

Il faut dire qu'il n'était pas un prêtre comme les autres. Ses origines aristocratiques et ses qualités personnelles se devinent dans son portrait. Né en 1512. érudit de la Renaissance. il fut un des esprits les plus distingués de France. Il préféra. nous rapporte le père Anselme. «l'étude des

François

de Foix Candale,

évêque d'Aire

Même les voiliers

d'aujourd'hui

"baissent leurs voiles"

18

belles-lettres aux honneurs de la cour». Éclectique, il s'intéressa autant à la médecine, l'alchimie, la mécanique, ou à l'astrologie. Il fonda également une chaire de mathématiques au Collège de Guyenne, et écrivit un traité relatif à «Hermès Trismégiste», très estimé à son époque. En 1576, il succéda à son frère comme évêque d'Aire-sur-Adour. Promu commandeur de l'ordre du Saint-Esprit, il eut l'honneur d'être statufié, après sa mort en 1594, dans la chapelle des Augustins à Bordeaux.

François était un vrai Girondin. Après la mort de son frère aîné Frédéric en 1570, il se fit appeler baron de Castelnau, mais préférait, semble-t-il, résider dans le château féodal de Cadillac. C'est là qu'il avait son moulin à forge, où il aimait à fabriquer ses diverses «méchaniques». Il habita aussi dans son château de Puy Paulin, à Bordeaux, dans celui de Castelnau, et dans celui de Beychevelle, puisque c'était son œuvre. Château est un grand mot : il s'agissait d'une petite maison de plaisance, la première du genre dans le Médoc.

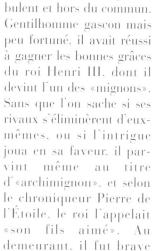

Délaissant le site féodal de Senansan, l'évêque choisit un emplacement qu'il jugea plus agréable pour regarder la rivière. Cet emplacement (celui du château actuel) n'a pas été choisi pour des raisons stratégiques, mais uniquement paysagistes... En cela, l'évêque a sûrement fait une mini-révolution pour l'époque, et peut être considéré comme le véritable père de Beychevelle.

Frédéric, son frère aîné, mourut en 1571, et son fils Henri le suivit deux ans plus tard, ne laissant que deux filles, Marguerite et Françoise. Quand François mourut à son tour à quatre-vingt-deux ans, toutes ses propriétés revinrent à sa petite-nièce, devenue grande héritière. Las ! Celle-ci était déjà morte, six ans après avoir épousé Jean-Louis de Nogaret de La Valette, premier duc d'Épernon, à qui elle avait

donné trois garçons. L'énorme fortune des Foix Candale a, de cette façon, changé de mains et de famille. Au passage, on avait délibérément écarté de la succession la sœur de Marguerite, Françoise. Elle fut mise d'autorité au monastère Saint-Glossinde à Metz, en tant qu'abbesse. Une abbesse peu docile, qui réclama toute sa vie sa part de l'héritage. Mais en vain. Elle en conçut un tel dépit qu'elle finit par se déclarer protestante...

LES DUCS À PIED D'ŒUVRE

Le duc d'Épernon était un personnage turbulent et hors du commun. Gentilhomme gascon mais peu fortuné, il avait réussi à gagner les bonnes grâces du roi Henri III, dont il devint l'un des «mignons». Sans que l'on sache si ses rivaux s'éliminèrent d'eux-mêmes, ou si l'intrigue joua en sa faveur, il parvint même au titre d'«archimignon», et selon le chroniqueur Pierre de l'Étoile, le roi l'appelait «son fils aimé». Au demeurant, il fut brave dans bien des combats, et fin diplomate, fermement attaché à la cause royale. Il en fut récompensé par de nombreux honneurs officiels. Gouverneur successif de plusieurs provinces : les Trois-Évêchés, l'Anjou, la Normandie, la Touraine, la Provence, l'Aunis et la Saintonge, il fut également amiral de France et général d'infanterie.

Pierre de l'Étoile avance l'idée que c'est Henri III qui avait concocté le mariage de son «mignon» duc d'Épernon avec cette grande héritière qu'était Marguerite de Foix Candale. Le roi lui aurait même donné la somme de quatre cent mille écus «en faveur dudit mariage». Celui-ci fut d'abord célébré «à petit bruit au château de Vincennes» ; puis huit jours plus tard à l'hôtel de Montmorency, où vinrent en grande pompe le roi, la reine, les princesses et les dames de la cour et de la ville.

Le premier

duc d'Epernon

19

Le festin de la noce du duc et de la comtesse fut magnifique. Henri III donna ce jour-là à la jeune mariée un collier de cent perles, estimé à cent mille écus. Hélas, six ans plus tard, «elle mourut de tristesse à Angoulême», selon le chroniqueur de l'époque.

Bien qu'il fût riche, jeune et veuf, notre duc veilla à ne pas gaspiller son argent. Il fit construire le mausolée familial de l'église de Cadillac, puis le monumental château de Cadillac, aux vingt cheminées décorées de marbre. Ce superbe édifice est toujours debout et en excellent état. Ouvert à la visite, il appartient à l'État, et sert de cadre à des expositions d'art moderne qui auraient sûrement intéressé Jean-Louis de Nogaret, duc d'Épernon. Celui-ci connut une triste fin de vie ; il mourut en 1642, à l'âge de quatre-vingt-huit ans, au château de Loches où il était sinon en exil, du moins en défaveur.

Son fils aîné Henri de Nogaret hérita des biens de sa mère, et put prendre en 1611 le titre de duc de Candale. Il géra consciencieusement les propriétés du Médoc, dont Beychevelle, et en fit même établir un «terrier» en 1627 et 1634. Mais son destin était militaire. Courageux comme son père à la guerre, il se battit si bien contre les Turcs qu'il fut nommé généralissime des armées de Venise. Il revint en France avec la célébrité, mais mourut en 1639 à Casal, citadelle du Piémont, sans aucune postérité. La même année disparut son frère Louis, qui était cardinal de Toulouse. Il ne restait donc que leur frère cadet Bernard pour assumer l'énorme héritage des deux familles de ses parents.

Bernard de La Valette, deuxième duc d'Épernon, fut lui aussi un personnage très turbulent, et l'histoire nous en a laissé une image à la fois sympathique et négative. Général d'infanterie comme son père, il fut accusé d'avoir pactisé avec les Espagnols au moment de l'«affaire de Fontarabie». Les soubresauts des guerres de religion et les complots des grands du royaume excitaient bien des convoitises, surtout à la frontière espagnole. D'autant que Richelieu et Louis XIII éprouvaient de multiples difficultés à en venir à bout. Aussi le duc fut-il condamné à mort en 1639, et exécuté... en effigie. Heureusement pour lui, il avait réussi à s'enfuir. Mais il revint : on lui pardonna ses incartades, et on le rétablit même au gouvernement de Guyenne en 1643. Il se rendit ensuite particulièrement odieux, lors des soulèvements de la Fronde, et ravagea le Médoc sous prétexte de mater les Frondeurs.

Et Beychevelle dans tout cela ? Eh bien, malgré ses activités guerrières et destructrices, il semble que le deuxième duc d'Épernon n'ait jamais oublié la terre maternelle. Grand mécène à ses heures, il hébergea entre Agen et Bordeaux une troupe de comédiens connue sous le nom de

Théâtre de Dufresne, qui courait la province. Parmi ses membres, figurait un jeune acteur appelé Jean-Baptiste Poquelin... qui entra dans la postérité sous le nom de Molière. Il est parfaitement légitime de supposer que le jeune Molière est venu jouer à Beychevelle : la troupe est signalée plusieurs fois à Bordeaux ou à Cadillac, entre 1640 et 1649. Et singulièrement dans les années 1645 et 1646. On sait qu'à cette époque Molière venait de faire faillite avec son «Illustre Théâtre» et qu'il reprit avec Madeleine Béjart le chemin des tournées et des tréteaux. Le registre de la cathédrale de Bordeaux atteste de sa présence comme parrain à un baptême. Qu'il jouât la comédie à Beychevelle avec ses amis, pour le plaisir de son protecteur, paraît beaucoup moins fantaisiste que la légende de «Baisse voile»...

LA FIN D'UNE DYNASTIE

Le deuxième duc d'Épernon mourut en 1661, trois ans après son fils unique, Louis-Charles-Gaston de Foix, duc de Candale. Ce dernier fut un personnage haut en couleur, à l'image de ses ancêtres. Colonel-général d'infanterie, il fut surtout grand coureur de jupons. Ses bonnes fortunes à la cour étaient légendaires, où on le connaissait comme «le beau Candale». Après sa disparition et celle de son père, il ne restait de la famille qu'une fille, Anne-Louis-Christine, née en 1626, qui fut couramment appelée Mme d'Épernon.

Intelligente, belle et fort séduisante, elle eut, elle aussi, une vie insolite. Après avoir couru tous les bals de la cour de Louis XIII, où elle eut, dit-on, beaucoup d'admirateurs, elle eut un terrible chagrin d'amour avec la mort à la guerre, en 1648, du chevalier de Fiesque qu'elle aimait profondément. Inconsolable, elle entra au couvent des carmélites de la rue Saint-Jacques, à Paris, qui venait d'être fondé par Mme Acarie. Elle y resta plus de cinquante ans, pendant lesquels elle mena la vie austère du carmel, avant de mourir saintement en 1701. Elle laissa le souvenir d'une femme remarquable que le duc de Saint-Simon

alla fréquemment visiter ; il vanta son esprit, le charme de sa conversation, sa grande piété, et trouva en elle le témoin précieux d'une autre époque.

Mme d'Épernon n'ayant pas d'enfants, la succession de la fortune familiale posait un nouveau problème, en l'absence de descendance mâle, et en présence de dettes importantes... Une fois désintéressé le couvent, sous forme d'espèces sonnantes et trébuchantes, restait à trouver un héritier. C'est un arrière-cousin, Jean-Baptiste de Foix, duc de Randan, qui reçut les terres du Médoc. Malheureusement, on ne vivait pas souvent vieux à cette époque, et il mourut à son tour en 1665. Son frère Henri-François entra alors en scène. C'était un officier courageux, qui vécut à la guerre, à la cour et dans les nombreuses propriétés qu'il possédait en Auvergne. Duc de Randan, il était aussi marquis de Senecey en Bourgogne, pair de France, baron de Castelnau, Lamarque et Beychevelle, et enfin captal de Buch, titre sans doute moins noble, mais fort important dans le pays. En effet, pendant plusieurs siècles, le captal de Buch avait droit de «capter» (d'où son nom) une partie de la pêche réalisée par les marins du bassin d'Arcachon. Il les assurait, en échange, de sa protection. C'était un seigneur puissant et redouté, dont la juridiction s'étendait loin à l'intérieur des terres.

Le premier souci du duc de Randan fut de régler les dettes laissées par le duc d'Épernon. Il vendit donc quelques terres attenantes au château, terres que l'on connaît aujourd'hui sous les noms glorieux de Branaire-Ducru et Ducru-Beaucaillou, crus classés de Saint-Julien, et mitoyens de Beychevelle. Un document daté de 1694 nous présente l'inventaire des terres et des droits de la baronnie de Beychevelle. Même après la vente, l'ensemble de la seigneurie restait très important. Outre ses terres de Saint-Julien, le duc de Randan possédait à Saint-Laurent la propriété de Camensac, le moulin de Peybaron et le domaine de Sémignan, où l'on sait qu'il faisait aussi du vin. Sémignan n'est plus un vignoble aujourd'hui, mais Camensac est resté digne de cette noble filiation puisqu'il est cru classé.

Le duc avait également des droits féodaux considérables, s'étendant jusqu'au nord de Pauillac, au lieu-dit Le Pouyalet. Ces droits consistaient en «droits de guet et de garde, droits de chasse, voirie, corvées, pêche, exploitation de moulin, et droits de justice sur les villages avoisinants». Les actuels châteaux Latour et Mouton-Rothschild étaient inclus dans le périmètre concerné. Le seigneur de Beychevelle était donc l'un des tout premiers du Médoc. Il fut aussi l'un des premiers à faire un vin renommé. Il s'appelait le «cru de Randan», du nom de son propriétaire, et doit être regardé comme l'ancêtre direct de l'actuelle étiquette château Beychevelle. De la même manière que le château d'Issan s'est d'abord appelé Théobon, ou le château Margaux : La Mothe... Mais le duc de Randan était issu de la noblesse d'épée, et la gestion de ses vastes domaines, qu'ils fussent d'Auvergne ou du Médoc, ne lui rapporta pas les bénéfices escomptés. Une première vente marqua le début d'une série noire qui s'accéléra comme une véritable dégringolade. Ce fut celle de la baronnie de Lamarque, que le duc vendit en 1692 par-devant notaire à Paris, à Jean-Pierre d'Abadie, président du parlement de Bordeaux. Neuf ans plus tard, il vend «la terre et la seigneurie de Beychevelle» au même acheteur. A partir de là, la liquidation fut continue : en 1701, Le Pouyalet et Mouton sont acquis par un avocat bordelais ; en 1703, c'est la baronnie de Castelnau qui est vendue au parlementaire François Sarran d'Essenault ; en 1701, c'est le château de Puy Paulin, à Bordeaux, qu'il vend au roi lui-même.

Le dernier duc de Foix Candale (de la branche auvergnate) n'est resté que dix-huit ans à Beychevelle. Il a marqué toutefois la fin de l'époque féodale sur cette terre, où la bourgeoisie allait succéder à la noblesse. Il mourut sans enfants en 1714, et avec lui disparut le blason familial dont les armoiries «d'or à trois pals de gueule, escartelé de deux vaches de gueule sur fond d'or» signaient la réunion des familles de Foix et de Béarn.

NAISSANCE
D'UN VIGNOBLE

———

Le président d'Abadie, qui acheta la baronnie de Beychevelle en 1701, était bien représentatif de cette classe de parlementaires bordelais, qui furent les fondateurs du vignoble médocain. Ils constituaient «le gratin de la société des bourgeois-marchands de la ville» comme les décrit Bernard Ginestet, et possédaient toutes les qualités de l'homme d'affaires. En outre, ils avaient bien retenu la leçon du président de Pontac à Haut-Brion, qui avait rendu rentables, grâce à la vigne, des terres considérées comme pauvres. Enfin, ils habitaient la région, ce qui, à défaut d'en faire des hommes du pays, leur permettait une bonne surveillance de leurs domaines, chose impossible pour leurs prédécesseurs habitant Paris, l'Auvergne ou même Cadillac... Par ailleurs, ces parlementaires ne négligèrent rien en matière de connaissance technique. Ouverts aux conseils, comme aux découvertes utiles, ils suivirent les agronomes de l'époque pour obtenir de meilleurs rendements. Ils imitèrent aussi les vignerons des Graves et abandonnèrent la culture de la vigne en jouale, c'est-à-dire au milieu d'autres cultures maraîchères, fruitières ou potagères, et tracèrent des rangs bien réguliers, exempts de toute autre plantation, où la vigne était seul maître. De là naquit la monoculture viticole dont les grands domaines du Médoc furent, dès le XVIIe

siècle, les pionniers. Même chose pour le travail du chai : cette caste de nouveaux propriétaires imposa le vieillissement en fûts de chêne et l'utilisation de la mèche soufrée pour les barriques. Toutes choses qui contribuèrent grandement à stabiliser les vins et à en améliorer la qualité.

Petit-fils de marchand, mais fils d'un conseiller du roi, Jean-Pierre d'Abadie fut un personnage de haute cuvée dont l'ascension sociale avait commencé lors de son mariage, en 1682, avec Catherine de Suduiraut, fille du magistrat Blaise de Suduiraut, qui fut pendant cinquante-neuf ans premier président de la cour des aides de Guyenne à Bordeaux. C'est lui qui fit construire, vers 1670, le très beau château de Suduiraut à Preignac, qui est devenu en 1855 premier cru classé de Sauternes. Suduiraut est le seul château girondin qui possède un jardin dessiné par Le Nôtre, architecte du parc de Versailles. On peut supposer, en comparant aujourd'hui Beychevelle et Suduiraut, que le jardin du premier doit quelque chose au second, et que le président d'Abadie sut s'inspirer de la propriété de son beau-père pour améliorer l'environnement de la sienne. Il reste qu'il fut un des gros propriétaires terriens de son temps, ayant acheté en 1692 la propriété de Lamarque, et auparavant la baronnie d'Ambleville à Peujard (en Gironde) et celle de Cubzaguès. Force nous est de constater que le magistrat, pour riche et influent

25

qu'il fût, n'avait pas que des amis. «C'est un homme orgueilleux, vieux, fourbe et plaideur acharné», écrit de lui le conseiller de Raoul, son collègue au parlement.

Premier président à la deuxième chambre des enquêtes du parlement de Bordeaux, M. d'Abadie avait passé cinquante ans lorsqu'il arriva à Beychevelle. Il en profita pourtant seize ans, puisqu'il mourut le 21 novembre 1717. Mais cette courte période fut marquée par une catastrophe climatique. En effet, il gela si fort au cours de l'hiver 1708-1709, que les vignes furent complètement ravagées. Même les arbres périrent, si l'on en croit les chroniqueurs du temps. Âgé et sans enfants, le président d'Abadie eut-il le cœur de replanter son vignoble ? On peut en douter. Et l'on peut supposer que, malgré son attachement à Beychevelle et à son vin, le vieux magistrat laissa un peu tomber l'exploitation.

À sa mort, son testament instituait comme héritier, non pas sa veuve, mais son neveu, Étienne-François de Brassier, conseiller au parlement de Bordeaux, âgé d'une quarantaine d'années. Son père était un homme de finances, Léon de Brassier, trésorier de France de 1680 à 1711, et son frère, Joseph de Brassier de Labatut, était à la fois baron de Lamarque et colonel d'infanterie. Avec cette nouvelle famille, le blason de Beychevelle changea de registre animalier. Les armes des Brassier étaient «d'azur à un héron d'argent» : c'est donc un oiseau qui succéda aux vaches des Foix Candale. Le héron a toujours été un animal répandu dans le Médoc. De nos jours, on en voit encore fréquemment survoler les prairies humides qui bordent l'estuaire, ou bien aller pêcher la grenouille dans les gravières... Au XVIIe siècle, il n'y avait pas de gravières, mais le héron était un mets fort apprécié, et donc chassé comme gibier.

UN GRAND VITICULTEUR
Les conseillers de Brassier furent des personnages clefs dans la longue histoire de Beychevelle. Passionnés par le vin, ils surent mettre en valeur le vignoble et en faire l'un des premiers Médoc ; ce sont eux également qui firent reconstruire le château endommagé par le feu. Dans les deux cas, ils augmentèrent considérablement le rayonnement de la propriété. Même sous la plume du conseiller de Raoul, mauvaise langue notoire de Bordeaux, Étienne-François de Brassier est présenté comme un homme remarquable : «Bon philosophe, humaniste, géomètre, musicien, il savait bien faire la loi, la gestion du domaine et l'agriculture.» Sa bibliothèque aurait fait pâlir d'envie les femmes savantes de Molière. On y trouvait la physique de Rouault, la géométrie de Boulanger, celle de Leclerc et de Bourgogne, les expériences de Poulinière, et mille traités savants d'architecture, astronomie, et autres multiples sciences.

Il se maria deux fois. D'abord en 1721, avec Marie-Catherine de Montferrand, fille du marquis de Landiras ; ensuite en 1726, avec Marie-Anne de Lalanne, fille du marquis d'Uzeste, opulent parlementaire bordelais. Mais bien plus que ses amours, l'histoire a surtout retenu l'intérêt qu'il porta au vin du Médoc. C'est à ce titre qu'il acheta au comte de Ségur, propriétaire de Latour à Pauillac, la maison noble de Poujeaux, à Moulis. Il la paya vingt-cinq mille livres, le 18 mai 1732. Il acquit également une partie des terres de la seigneurie d'Arcins, ainsi que la baronnie de Sémignan, à Saint-Laurent, qui revint grâce à lui dans le giron de Beychevelle. Selon l'inventaire qui fut dressé après sa mort, et qui est conservé aux archives départementales de la Gironde, le vignoble de Beychevelle s'étendait alors sur une centaine de «journaux», le journal étant la surface d'une terre qu'un homme et un cheval pouvaient labourer en un jour, soit trente-deux ares. Le «terrier» établi par son fils en 1760 nous apprend que la vigne couvrait exactement trois mille sept cent vingt règes, ou rangs. Les terres labourables représentaient une dizaine d'hectares, et les prairies, chargées de nourrir un bétail conséquent, étaient d'une étendue considérable. *Idem* pour les bois et taillis. Quant au domaine de Camensac tout proche, il ne

Jeux d'ombres

sur la pièce d'eau

située à l'extrémité

du parc

contenait que sept hectares de vignes, mais sans chai. Le vin était vinifié à Beychevelle.

Tous les documents sont donc formels sur ce point. Bien avant la Révolution, une exploitation viticole rationnelle, moderne pourrait-on dire, fut créée à Beychevelle sous l'impulsion de M. de Brassier. Autour de 1740, il récoltait bon an mal an quelque quatre-vingts tonneaux de «grand vin», soit un rendement de vingt-quatre hectolitres à l'hectare, excellente performance pour l'époque. Bien coté, ce vin était payé, selon les millésimes, au prix de ceux qui devinrent des deuxièmes ou des troisièmes crus classés du Médoc. Le «terrier» de 1760 nous donne aussi de bonnes précisions sur l'encépagement. L'existence d'une demi-douzaine de pièces «partie en verdot» indique clairement le souci de favoriser une véritable culture de cépages, au détriment des complantations désordonnées qui avaient cours à l'époque. Elle confirme aussi l'ancrage historique du petit verdot, cépage typiquement médocain, à une époque où le Médoc plantait pas mal de merlots, et probablement davantage de vignes blanches que rouges. Quant aux parcelles qui constituaient le vignoble du XVIIIe siècle, elles sont rigoureusement les mêmes qu'aujourd'hui. Perseau, le Brisat, le Mignart, le Cuvier, la Bruleyre témoignent de l'exceptionnelle continuité du terroir, et de la précision historique de son cadastre.

Mais le plateau de Beychevelle n'était pas le seul domaine viticole du conseiller

de Brassier. Au château de Lamarque, on récoltait en moyenne chaque année quarante tonneaux, c'est-à-dire l'équivalent de cent soixante barriques bordelaises de deux cent vingt-cinq litres. Poujeaux, situé sur les meilleurs graves de Moulis, produisait environ trente-cinq tonneaux, pour un vignoble évalué alors à quarante «journaux». Enfin, au nord de Saint-Estèphe, une ferme qu'il possédait sur l'excellent terroir de Saint-Seurin-de-Cadourne lui rapportait vingt-deux tonneaux de vin. Au total, dans les bonnes années, notre conseiller récoltait donc en Médoc près de deux cents tonneaux, soit huit cents barriques de vin, ce qui en faisait l'un des premiers viticulteurs de son temps. Est-ce pour faciliter leur acheminement vers Bordeaux qu'il fit construire le port de Beychevelle ? C'est probable, mais ce n'est pas sûr. Certains historiens prétendent que ce port lui donna une sorte de monopole pour le transport des marchandises de tout le voisinage, et qu'il ne se priva pas de lever une taxe fluviale à leur passage, péage confortable qui s'ajouta à ses nombreuses ressources… Là encore, les documents solides manquent pour étayer cette thèse. On sait en revanche, avec certitude, que l'appontement édifié sur l'estuaire était un modèle d'ingéniosité et de modernité pour l'époque. Il faut dire que le vigneron était un petit peu ingénieur. Il était sans doute un tantinet botaniste et tout porte à croire que le cèdre, qui trône dans la cour d'honneur du château, fut planté de sa main.

LA QUALITÉ D'ABORD

L'inventaire dressé à la mort d'Étienne-François de Brassier est un document précieux pour qui veut savoir comment fonctionnait un domaine viticole sous l'Ancien Régime. Passons sur les chevaux et les paires de bœufs, qui étaient les tracteurs de l'époque, pour regarder ce que contenait le cuvier : «Onze cuves rondes avec leurs cannelles, deux cuves carrées, une grande gargouille, six gargouilles pour le pressoir, vingt-cinq douils de charge, six comportes, trois ouillettes pour ouiller le vin et trente-six bastes.» Pour l'amateur peu familiarisé avec le vocabulaire viticole du Médoc, on précisera que le douil est une cuve en bois de grandeur et d'utilisations variables, et que bastes et comportes sont des récipients destinés au transport de la vendange. Tout cet équipement était employé pour vinifier et conserver le vin au chai du château, qu'il vienne des vignes de Beychevelle, ou des parcelles du Glana, du Bourdieu ou de Camensac. Il est important de savoir que le vin était classé en «grand vin», second vin, vin gris et vin treuillis, c'est-à-dire vin de presse. Cela indique clairement que Brassier pratiquait déjà une sévère politique de sélection, saignant ses cuves pour en faire du rosé et concentrer ainsi ses vins.

On sait également que les seconds vins vieillissaient comme les premiers dans des fûts neufs, que Brassier vinifiait les cépages séparément, notamment le petit verdot, cépage vedette de l'époque. La suite de l'inventaire est particulièrement édifiante pour tout ce qui concerne le travail du chai, où l'on trouvait : «Soixante et onze tonneaux et deux barriques de grand vin rouge, deux barriques de fond de cuve du grand vin, huit tonneaux du second vin, neuf tonneaux et une barrique de vin gris, six tonneaux et deux barriques de vin treuillis, un tierçon de vin de verdot, une barrique et demie de vin blanc. Le tout faisant quatre-vingt-seize tonneaux, un tierçon, une demi-barrique, le tout plein, ouillé et affiné, et logé le grand et le second en futailles neuves, le restant dans des barriques de vidanges. Plus, dans le chai, deux barriques de vin treuillis de l'an dernier, qui est gâté et destiné à la boisson des domestiques. Plus deux douzaines de barriques vides et neuf barriques de vidange d'un vin.»

Cet inventaire, dont l'authenticité est garantie par les déclarations du «sieur Faugeras, homme d'affaires», est une mine d'informations unique. Il décrit aussi le contenu de la cave personnelle du propriétaire, avec un tonneau de vin vieux, dont celui de Poujeaux, une barrique de grand vin de Beychevelle, et «deux douzaines de verres (carafes) où il y avait du vin qui sert actuellement pour la table». Dans le chai de Lamarque, on note l'existence de «trente-sept tonneaux de vin rouge du premier vin, quinze barriques de vin rosé qui est le blanc qui a été passé sur la rape, et cinq barriques de vin treuillis en vieilles futailles». Quant à Poujeaux, la tradition du bois neuf pour élever le vin de Moulis y était déjà bien ancrée,

Le fameux cèdre planté, dit-on, par le conseiller de Brassier

31

avec «trente et un tonneaux et deux barriques de premier vin en futailles neuves» ; même les quatre tonneaux de vin gris sont logés dans ladite futaille. Le souci de qualité semble présider dans la conduite de ces domaines, et l'on mesure bien, deux cents ans après, tout ce que la gestion des Brassier avait de moderne et de fonctionnel.

Le vin était vendu aux plus grands négociants de la place de Bordeaux, ainsi qu'il l'est toujours aujourd'hui. Les bordereaux d'achats établis par les courtiers de l'époque sont signés Barton, Richard et Mathieu Gernon, Étienne Dierx et Fergusson. Son prix varia considérablement d'une décennie à l'autre, et même d'une année à l'autre, au point que la fourchette des cotations va de deux cent cinquante à mille livres le tonneau. D'après le professeur Pijassou, le vin de Beychevelle cotait quatre cent quarante livres le tonneau entre 1741 et 1744, soit le prix payé pour le cru voisin de Saint-Pierre-Sevaistre. Gruaud était alors à sept cent trente- quatre livres et Léoville à huit cent dix. Mais, selon une liste établie en 1745 par le bureau des courtiers bordelais Tastet et Lawton, «Gruau, Bergeron-Ducru et Brassier» étaient cotés entre quatre cents et six cents livres, loin devant tous les autres vins de la commune, exception faite de Léoville, qui caracolait toujours en tête. En ce temps-là, les vins de Margaux et de Cantenac étaient infiniment plus appréciés que ceux de Saint-Julien et de Pauillac ; ceux du château Margaux lui-même atteignaient mille huit cents livres le tonneau. Une liste de crus établie en 1755 révèle un écart de prix écrasant entre le sud et le nord du Médoc. Certains vins de la région de Margaux furent cotés entre mille et mille trois cents livres le tonneau, alors que «le vin que faisait M. le conseiller de Pichon-Longueville à Saint-Mambert», ou celui de M. de Brassier à Beychevelle, valaient autour de trois cents livres... Il est

à noter qu'au XVIIIᵉ siècle, les crus étaient appelés par le nom de leur propriétaire, plus rarement par celui de leur lieu-dit géographique. Cet usage commença à se perdre au XIXᵉ siècle, mais surtout au XXᵉ.

Il reste que les fluctuations des cours ne répondent pas toujours à des normes logiques. Le prix d'un vin et sa réputation obéissent souvent à des cycles bizarres où la mode, le marché, le goût du consommateur influent de manière inattendue. Le prestige du vin de Beychevelle n'échappe pas à cette règle. En 1815, le courtier William Lawton le juge «séveux et léger». En 1855, la chambre de commerce de Bordeaux classe soixante crus du Médoc par ordre de mérite. Treize crus de Saint-Julien figurent dans la liste : pas un seul premier, pas un seul cinquième non plus, mais un beau tir groupé de la deuxième à la quatrième place. Beychevelle est alors classé quatrième, avec Talbot, Saint-Pierre et Branaire. En 1868, Édouard Férêt parle de Beychevelle comme «d'un vin plein de corps, de parfum et de délicatesse». Le poète bordelais Biarnez, deux ans plus tard, dans son ode aux «Grands vins de Bordeaux», se fait carrément lyrique à propos du «superbe manoir» de Beychevelle :

Là, tout est fastueux, tout brille et tout abonde,
Sa vigne tous les ans d'un noble vin l'inonde :
(...) A table on le prodigue avec grâce au convive,
Sa sève y semble encore plus suave et plus vive.
(...) Enfin, là, tout ravit, tout fait de Beychevelle
Des châteaux du Médoc la gloire et le modèle.

Enfin, en 1982, dans la treizième édition de *Bordeaux et ses vins*, Claude Férêt mentionne que le vin de Beychevelle est «actuellement très supérieur à son classement». Nul doute que cette appréciation flatteuse aurait fait plaisir aux Brassier père et fils.

NAISSANCE
DU CHATEAU

———

Le conseiller de Brassier ne s'intitulait pas pour rien «seigneur baron de Lamarque, Beychevelle et autres lieux». Ces autres lieux étaient, en effet, innombrables, et sa fortune dut être considérable, si l'on fait le compte de toutes ses possessions. En Médoc, il avait acquis de nombreux domaines, avec métairies, troupeaux divers, granges à foin, prairies, étables, «bois de gros chênes», terres en friche, garennes, moulins, et même des bateaux : «une gabare neuve à la ferme du sieur Coiffard», et «un bateau nommé filadière en bon état, tenu en fermage par Pierre Vergne, batelier à la maison du port, à Beychevelle». Il possédait également un hôtel particulier à Bordeaux «sur les fossés du Chapeau Rouge», qui fut démoli en 1775 pour construire l'hôtel Bonaffé. L'hôtel de Brassier était si vaste, et si richement meublé, qu'on y comptait pas moins de vingt-huit tapisseries. «Cinq pièces à haute lice de Flandres» racontaient l'histoire de Jacob ; et huit autres l'histoire de Jésus-Christ. Son train de vie lui imposait un carrosse à six chevaux, et dans sa cave, deux cent cinquante bonbonnes de verre comme provision de vins, venus évidemment en droite ligne du Médoc, sans doute à bord de «la gabare du sieur Coiffard»...

Étienne-François de Brassier mourut le 6 novembre 1740, en son château de Lamarque, à cinq kilomètres de sa résidence de Beychevelle. Il laissait une veuve, deux fils, une fille et... six mille deux cent soixante-sept livres en monnaie, dans un coffre spécial. Sa fille hérita du marquisat de Landiras, et ses fils se partagèrent les terres du Médoc. C'est l'aîné, François-Armand, qui reçut Beychevelle, tandis que Lamarque alla au cadet. Mais tous deux étaient jeunes, et c'est un de leurs voisins à Saint-Julien, Messire Pierre-François de Bergeron, qui fut témoin à l'inventaire dressé à la mort de leur père. Capitaine des dragons, il était aussi propriétaire viticole. Le château Lamothe-Bergeron, cru bourgeois de Cussac, perpétue à la fois son nom et son souvenir.

François-Armand de Brassier, nouveau baron de Beychevelle, géra le domaine pendant plus de quarante ans. C'est à lui que l'on doit la reconstruction partielle du château et son visage définitif, celui que l'on peut voir aujourd'hui. Mais la légende qui attribue cette reconstruction, en 1757, aux conséquences d'un grave incendie ayant ravagé le bâtiment doit être un peu corrigée. En fait, ce feu n'a probablement détruit que la toiture. Et les travaux n'ont rien modifié d'important dans l'allure générale du château, à part le toit. Les archives notariales de Mᵉ Capdaurat, notaire à Cadillac, publiées par les bulletins de la société archéologique de Bordeaux en 1882, confirment une similitude

parfaite entre les plans du bâtiment construit en 1644 par le duc d'Épernon et le château actuel.

On se rappelle que le premier château de Beychevelle avait été construit au XVIe siècle par François de Foix Candale. Cent ans plus tard, le deuxième duc d'Épernon fit les choses en plus grand, et confia à deux architectes bordelais, Gassiot Delerm et Pierre Coutereau, le soin d'édifier un nouveau château. Tous deux étaient des personnages expérimentés, attachés à la famille d'Épernon depuis longtemps, et possédant une solide réputation. Natif de Cadillac, Gassiot Delerm avait fait son apprentissage pendant sept ans auprès de Pierre Souffron, maître d'œuvre du château de Cadillac. Il avait également reconstruit le grand château de Poyanne, près de Mugron, en Chalosse, entre 1623 et 1628. Et en 1642, le baron de Pédesclaux lui fit remanier son vieux château de Savignac, près de Bazas en Gironde. Le chantier lui fut payé deux mille livres, somme considérable quand on sait que celui de Beychevelle rapporta deux mille cinq cents livres conjointement aux deux architectes. Quant à son compère Pierre

Coutereau, il était le fils de Louis Coutereau, maître maçon très connu en son temps pour avoir construit le phare de Cordouan, à l'embouchure de l'estuaire de la Gironde, qui signale aux marins les affleurements rocheux.

Leur travail consista à reconstruire entièrement le château bâti vers 1569. Ils passèrent contrat avec Pierre Husset, «charpentier de haute futaie, habitant de la ville de Bordeaux», pour tout le travail des bois, crucial à cette époque. Celui-ci toucha mille trois cents livres, dont trois cents en «bonnes espèces d'or et d'argent en avance», pour un chantier qui fut très précisément décrit en ces termes : «Premièrement, faire tous les planchers du grand corps de logis qui regarde les prairies et la rivière tout à neuf, ensemble le plancher de la galerie, et le plancher du corps de logis du côté de la chapelle (au nord) de tables de Flandres, et faire servir les soliveaux et poutres qui se trouveront être bons... De plus, abattre entièrement toute la charpente dudit corps de logis, et retailler tout à neuf, et faire à chaque bout une croupe, comme il est figuré dans le dessin, et relever ladite charpente de la

Les grilles du portail,

couronnées de lions

et de torchères,

soulignent le rang

des propriétaires

hauteur qu'est à présent le département où loge le fermier.»

En ce qui concerne le gros œuvre et tous les travaux de maçonnerie prescrits par les architectes, les actes notariés nous donnent, là encore, une notification précise : «Hausser le grand corps de logis, et les croisées d'icelui, et le rendre de mêmes hauteur et limites que le petit. Comme aussi hausser les cheminées et portes qui sont dans le grand corps de logis. Davantage abattre les deux pignons qui sont aux deux bouts dudit grand corps de logis au rez des autres murailles, à cette fin de rendre la charpente en croupe, comme il est figuré dans le dessin, et hausser tous les tuyaux de cheminée, d'une hauteur convenable pour empêcher de fumer... Démoliront encore partie du degré, et le hausseront et rétabliront en sorte que l'on puisse arriver commodément au dernier étage, et pour cet effet y poser sept ou huit marches davantage. Parallèlement, faire un grand portal à l'entrée de la cour, entre les deux pavillons d'icelle du côté du couchant, en bonne et belle pierre de Bourg, d'honnête façon, et proportionné avec la maison.»

A regarder de près tous ces textes, datés, rappelons-le, de 1644, on peut affirmer

que la reconstruction de 1757 a conservé l'essentiel des éléments originels. Beychevelle est donc beaucoup plus un château du XVIIe siècle qu'une folie du XVIIIe, même si les aménagements apportés après l'incendie ont certainement ajouté à son élégance. Les consignes des architectes nous renseignent aussi sur des éléments qui sont devenus depuis familiers dans l'architecture classique en Gironde : l'existence d'un pignon, l'importance du portal (portail), comme celle d'une terrasse, pour mieux apprécier la vue sur la rivière, l'emploi de la pierre de Bourg-sur-Gironde, et enfin la présence d'une chapelle. Dans l'ouvrage collectif *Châteaux Bordeaux*, Robert Coustet a noté que «l'une des originalités du Bordelais est l'importance accordée aux portails. On en dresse partout», et rien de plus spectaculaire que ce «portal» en demi-cercle à l'entrée de la cour d'honneur. Il poursuit en remarquant que «la chapelle est un attribut du château traditionnel. Elle marque l'indépendance du château à l'égard de la paroisse, et les liens en quelque sorte directs qu'il entretient avec Dieu».

Robert Coustet souligne aussi que, dans un château normal, «la demeure n'est que

la partie noble d'un ensemble plus vaste». Ensemble qui contenait des logements, des bâtiments d'exploitation, etc. A Beychevelle en 1644, on ne trouve trace que du «département où loge le fermier». Il est à croire que les vignes et le vin ne comptaient pour rien dans la construction du château. C'est que ce château n'avait encore rien de viticole, ou presque rien. Ses origines aristocratiques en faisaient une «villa de plaisance». C'est seulement après la succession des ducs d'Épernon qu'il devint un vrai et grand domaine viticole. Et que le château lui-même fut le siège d'une exploitation que les siècles à venir n'allaient cesser de conforter, et d'amplifier.

Le professeur Pijassou a justement remarqué que «le château médocain n'est pas une forteresse médiévale. Il en existe bien en Médoc, mais elles se situent sur les marges médocaines, et sont souvent en ruine. Les châteaux viticoles médocains sont plus récents ; de ce fait, ils n'ont pas le cachet d'authentiques châtellenies, que l'on admire en Périgord ou dans les pays de la Loire». En revanche, au XVIIe et au XVIIIe siècle, les riches Bordelais firent construire des manoirs, ou «folies champêtres», dans la proche banlieue de la ville. Le château de la Dame Blanche au Taillan en est un des meilleurs exemples. Quant aux châteaux viticoles, il est clair que le pionnier fut le président de Pontac à Haut-Brion. Comme l'indique Robert Coustet, il s'agit d'un manoir «doté des attributs caractéristiques de la maison noble de

l'époque : une haute toiture d'ardoise et des tourelles d'angles, rappelant les privilèges militaires des féodaux d'antan».

Il est clair qu'au XVIIIe siècle, lorsqu'il voulut réparer les dégâts de l'incendie, le baron de Brassier a forcément été influencé par le style Louis XV de son temps. Les châteaux voisins de Ducru-Beaucaillou et Langoa-Barton portent la marque de cette architecture élégante, que René Pijassou décrit ainsi : «Sobres façades classiques, infiniment profilées, longues terrasses légèrement surélevées, desservies par des escaliers en pierre, aux courbes élégantes, et bordés de balustrades soigneusement ajourées.» Un autre universitaire bordelais, le professeur Pariset, a bien saisi un élément essentiel de ce style en remarquant qu'il est typique de la Gironde : «La partie centrale de la façade d'arrivée est dominée par un fronton, sur les remparts duquel des volutes se tordent et se relaient comme des vagues à l'assaut d'un cartel, au sommet du triangle. Ces agitations tourmentées seraient inconcevables en Ile-de-France. Or, on retrouve les mêmes motifs sur des portails ou des façades de la région, et cette outrance joyeuse, cette fantaisie robuste, nous paraissent les marques d'une vitalité qui s'épanouit dans les formes baroques.»

Construit au XVIIe siècle, remanié au XVIIIe, Beychevelle se révèle aujourd'hui comme le premier, et presque le modèle, de toute une lignée de châteaux classiques, construits pour la détente et le plaisir

Beychevelle

ou le modèle

du château

médocain vu sous

trois angles,

côté terrasse

d'une bourgeoisie prospère. «Tout comme les pavillons ou les ermitages, écrit Robert Coustet, la chartreuse bordelaise est un lieu de retraite qui permet de vivre agréablement sur ses terres. Elle se distingue des autres petits châteaux français par son parti général bas et allongé. Par ses dimensions restreintes, elle suffit aux besoins du propriétaire d'un domaine viticole.» Encore fallait-il qu'elle puisse loger ses domestiques, qui l'accompagnaient quand il venait s'y installer, notamment au moment des vendanges. Il est à craindre que le confort qui présidait alors était peu en rapport avec les exigences du temps présent. Aymar Achille-Fould, qui fut propriétaire de Beychevelle jusqu'en 1986, aimait à répéter «c'est une caserne», pour se plaindre de son côté spartiate.

LA VIE DE CHATEAU

Voyons maintenant ce qu'il y avait à l'intérieur du château. Grâce à tous les documents et inventaires qui sont parvenus jusqu'à nous, on peut reconstituer la vie quotidienne des Brassier au XVIIIe siècle. Tout porte à croire qu'elle était fastueuse, à en juger seulement par une argenterie considérable, dont chaque pièce (cuiller, fourchette, couteau) pouvait servir vingt-quatre personnes. Les objets en or y étaient nombreux, à l'image d'une montre de Julien Le Roy, d'une tabatière ou d'une canne à crosse. Le mobilier était également conséquent. Dans la chambre de M. et Mme de Brassier, qui donnait sur la terrasse, on trouvait deux lits jumeaux, des fauteuils de noyer, un sofa à deux places, un bureau de marqueterie à quatre tiroirs, recouvert de marbre, et un secrétaire en bois des îles avec des livres. Dans le grand vestibule du château, à défaut de tapisseries des Flandres réservées aux appartements bordelais et à la forteresse de Lamarque, on ne dénombre pas moins de quatre tables de marbre. Quant aux chambres, leur nombre paraît imposant ; il y avait celle des laquais, celle de l'homme d'affaires, M. Faugeras, celle des filles, celle des servantes, celle des valets, celle du garde, sans compter les chambres d'étage dans chaque pavillon, et les petits salons. L'office et la cuisine se trouvaient au nord et la grande salle à manger donnait sur la terrasse. Le grand salon était orné de boiseries de style Régence.

Les célèbres jardins de Beychevelle

Jardins, cours et parcs faisaient l'objet d'une constante et vigilante attention. L'existence de vieux arbres à Beychevelle, notamment d'un chêne vert probablement tricentenaire, montre la permanence d'un souci de décoration extérieure. Dès le XVIIIe siècle, la culture des arbres fruitiers et des fleurs en pots prend une grande importance. On ne compte pas moins de cent dix orangers et citronniers, et cinquante-deux pots de terre remplis de lauriers, jasmins, grenadiers à fleurs, myrtes ou œillets. On imagine sans peine une grande armée de jardiniers ratissant, arrosant, sarclant, désherbant, taillant, fauchant, plantant, nettoyant... A l'entretien des massifs et des allées, s'ajoutait celui de seize petits canons de fer, montés sur leurs affûts en bois d'ormeau, peints en rouge et bleu, disséminés dans le parterre du jardin.

En tournée dans le Médoc en 1778, l'inspecteur des manufactures François de Paule Latapie fut frappé par la beauté du château de Beychevelle, et en fit cette description : «Il est composé de deux pavillons, qu'unit un corps de logis qui n'a que le rez-de-chaussée ; deux ailes qui font équerre avec les pavillons, et fort simples,

sont destinées aux cuisines. Elles sont liées par une grille de fer sur un parapet en demi-cercle, ce qui forme une belle cour. La terrasse qui accompagne la façade du côté de la Garonne domine sur le jardin, qui est beau et soigné. Deux allées très couvertes le terminent dans sa longueur. Du jardin à la Garonne dans l'espace d'un quart de lieue, ce ne sont que des prairies.» Plus de deux cents ans ont passé depuis la visite de l'inspecteur, mais il semble que rien n'ait changé. A la virgule près, cette description est toujours exacte...

François-Armand de Brassier, baron de Beychevelle, mourut le 13 janvier 1787 à l'âge de soixante-cinq ans, sans laisser d'enfants à son épouse, Thérèse de Pommiers. Son frère cadet François-Étienne, seigneur de Lamarque, était déjà mort et lui aussi sans enfants. C'est donc à leur sœur Delphine, veuve de Joseph-Michel de La Roque, baron de Budos, que revinrent non seulement le château de Beychevelle, mais l'ensemble des possessions médocaines de ses frères. Héritière des propriétés des Montferrand qui s'intitulaient depuis le Moyen Age «premiers barons de Guyenne», elle devint d'un seul coup

baronne de Beychevelle, de Lamarque, de Sémignan et d'Arcins. Tous ces titres de noblesse, et l'importance qu'on y accordait à l'époque, eurent une influence manifeste sur sa vie de famille et l'éducation qu'elle donna à ses enfants. On en veut pour preuve le duel retentissant qui se produisit à Bordeaux, où, pour des raisons de préséance et de point d'honneur, deux membres de la meilleure noblesse de Guyenne tirèrent l'épée. Ce duel opposa le baron de Budos, fils de Delphine, et le comte Martin de Marcellus. Ce dernier périt, mais sa mort endeuilla les deux familles. Ce duel fut certainement le dernier de l'Ancien Régime à Bordeaux. On était en effet le 14 mars 1789, et de sombres orages s'annonçaient à l'horizon...

ENTRACTE RÉVOLUTIONNAIRE

Lorsque la Révolution éclata, les deux fils de Delphine émigrèrent vers des cieux moins hostiles à leurs quartiers de noblesse. Mais avec courage, leur mère resta sur place. Elle fit front, et put maintenir intact le domaine de Beychevelle jusqu'à sa mort en 1792. Ses fils partis, c'est sa fille, Marguerite-Marie, veuve du marquis de Saint-Hérem, qui hérita du château. Elle forma d'emblée avec l'homme d'affaires de Beychevelle, Jean Fonteneau, une équipe soudée, et bien décidée à tenir le choc. Ils eurent besoin de toute leur énergie pour démêler l'imbroglio juridique dans lequel les nouvelles lois de la République plaçaient le domaine. Mais elle se défendit pied à pied pour garder un maximum de biens, exactement comme Laure Fumel, jeune femme plongée dans la même situation à château Margaux, et bataillant ferme pour sauvegarder l'héritage.

En vérité, l'essentiel des difficultés qui tourmentèrent la marquise de Saint-Hérem vint de son frère aîné, Charles

François, le bretteur. Dans le contrat de mariage qui le liait à Catherine de Ménoire, fille d'un des plus gros négociants des Chartrons, sa mère, Delphine, lui donnait les cinq neuvièmes des biens qu'elle laisserait à sa mort, les quatre neuvièmes restant allant aux deux autres enfants. Or Beychevelle était inclus dans le lot du fils aîné. Lorsque celui-ci émigra, ses biens devinrent automatiquement propriété de la nation. Et la marquise de Saint-Hérem ne pouvait prétendre qu'aux deux neuvièmes de l'héritage. Celui-ci était tout de même considérable, avec les propriétés de Moulis, Cussac, Saint-Laurent et Arcins, en plus de Beychevelle. Lorsque les biens de ses frères furent mis en vente, elle s'arrangea habilement pour que Beychevelle lui soit attribué avec ses dépendances, au prétexte qu'il représentait à peu près les deux neuvièmes qui lui revenaient. Le directoire exécutif de Bordeaux fit droit à cette requête, et un arrêté du 21 prairial an V (10 juin 1797) lui attribua officiellement Beychevelle.

Mais quelques mois plus tard, le 23 germinal an VI (12 avril 1798), le tribunal mettait en vente le château de Lamarque et le domaine de Camensac. La marquise protesta énergiquement, essayant de faire valoir que tous les deux faisaient partie intégrante du domaine. Une bataille juridique compliquée, s'appuyant sur une législation nouvelle, et contrariant les droits légitimes des héritiers, l'opposa à l'administration départementale. Finalement, en 1799, c'est le directoire exécutif de Paris qui trancha, en délivrant contrat «à la citoyenne Budos veuve Saint-Hérem, d'une maison à Bordeaux, rue Margaux, n° 10, estimée quarante mille cinq cents francs ; du domaine de Beychevelle, estimé trois cent cinquante-six mille trois cent dix francs ; pour témoin compte des droits légitimaires, le domaine de Poujeaux à

Moulis, estimé trente-six mille cinq cent soixante-deux francs».

Mais il fallait payer. On estima qu'un tiers de Beychevelle lui appartenait déjà, mais la marquise dut acquitter les deux autres tiers du prix fixé, et elle versa deux cent trente sept mille quatre cent quarante-trois francs entre les mains du receveur des domaines à Bordeaux. Quoique amputé de Camensac, Beychevelle restait une superbe propriété, avec quarante et un hectares de vignes, quatre-vingt-dix-sept hectares de prairies d'un seul tenant, vingt-deux hectares de prairies clôturées, plusieurs petites maisons et échoppes, une forge, etc. Sans compter les trente-huit hectares du vignoble de Poujeaux. Mais l'effort financier avait été trop lourd pour la courageuse marquise. Le 7 juillet 1801, elle vendit Beychevelle pour aller se retirer au château Poujeaux de Moulis qu'elle devait vendre par la suite. Outres ses terres à Arcins, Cussac, Sanguinet, Biscarosse et Landiras, il lui restait sa maison de la rue Margaux, où elle habitait désormais. Malgré des revers de fortune, la marquise avait franchi la tourmente révolutionnaire avec dignité. Et en comparaison de quelques familles nobles, elle n'avait pas à se plaindre de ce qui lui restait.

L'acheteur qui paya deux cent soixante mille francs «le domaine ci-devant château de Beychevelle, avec la vigne et les prairies», était l'armateur bordelais Jacques Conte. Capitaine de navires en 1789, il se lança dans l'armement une fois passée la Terreur, et affréta des bateaux corsaires, principalement à partir du port de Bayonne. C'était l'époque où Robert Surcouf écumait les mers, et réalisait des grosses prises contre les Anglais. Les corsaires basques Destebetche et Harismendy, courant l'Atlantique pour Jacques Conte, se distinguèrent en 1800 en abordant victorieusement les bateaux anglais *Westmoreland* et *Williamson*, puis le navire *Le Huron*, chargé de marchandises de la Jamaïque, qui furent ramenés à Bordeaux avec leurs cargaisons. De telles aventures étaient extrêmement profitables, et les bénéfices se partageaient équitablement en trois : un tiers à l'armateur, un tiers au propriétaire et un tiers au capitaine. C'est vraisemblablement grâce aux prises de ses corsaires que Conte put acheter Beychevelle, ainsi que l'hôtel particulier où il habita, 4, rue Esprit-des-Lois, dans le centre de Bordeaux, bâtiment qui fut connu ensuite comme l'hôtel du banquier Piganeau.

La présence de Jacques Conte à Beychevelle renouait avec une tradition maritime très ancienne. Et l'on peut toujours imaginer que les bateaux qu'il armait baissaient les voiles en passant devant ses fenêtres lorsqu'ils descendaient la Gironde avec leur précieux butin. Mais il semble qu'il ne se soit guère intéressé à son domaine, non plus qu'à la culture de la vigne. La relative désaffection du négoce bordelais pour le vin de Beychevelle, au XIXᵉ siècle, paraît directement liée à sa gestion très lointaine. Certains auteurs prétendent même que le classement du domaine en 1855 au rang de quatrième cru est le résultat d'une baisse de qualité imputable à la «période Conte». Pourtant, l'armateur avait fait une fort belle affaire, en achetant un domaine en parfait état de marche, et, de plus, entièrement meublé, si l'on en croit la liste des tables, armoires et lits, du contrat de vente, sans compter les quarante fauteuils des salons... Le chai contenait alors six pressoirs, cent barriques et seize grandes cuves cerclées. Le cheptel était également conséquent : six paires de bœufs, vingt vaches et veaux, un taureau, un mulet, maintes juments et tous les «chevaux de voiture» qu'il fallait.

Mais Conte était beaucoup plus marin que terrien, et plus corsaire que vigneron. Aucun de ses quatre enfants ne s'intéressa à Beychevelle. Aussi, le 25 août 1825, il vendit son château à l'un de ses petits-neveux, Pierre-François Guestier, qui paya six cent cinq mille francs quarante et un hectares de vignes et cent vingt hectares de prairies. Négociant bordelais associé avec l'Irlandais Barton, le nouveau propriétaire était heureusement plus passionné de chevaux que de bateaux. Il allait s'attacher à restaurer le prestige de Beychevelle. Avec lui, une nouvelle bourgeoisie, celle des Chartrons, prend pied dans les grands domaines viticoles.

L'AVENEMENT
DES GUESTIER

OU LA PERIODE

CHARTRONS

Les Guestier furent l'une des familles les plus importantes de la vie négociante et mondaine de Bordeaux pendant cent cinquante ans. Piliers du commerce chartronnais, ils étaient les rares Français de souche d'une micro-société essentiellement composée de Hollandais, Irlandais, Allemands, Suisses et Anglais. Mais leurs origines protestantes les rapprochaient tout naturellement de ces familles «étrangères», et leur association avec les Irlandais Barton illustra l'intégration exemplaire que le négoce bordelais a toujours favorisée, même pendant les périodes de révolutions ou de crises. La fin du XXe siècle fournit encore de nombreux exemples d'un brassage international et d'un partenariat, reposant sur plusieurs siècles d'histoire. Cette spécificité chartronnaise ne paraît pas avoir d'équivalent dans des secteurs économiques comparables, et a joué un rôle majeur dans le rayonnement mondial des vins de Bordeaux en général, et du Médoc en particulier.

Protestant donc, et officier de marine de son état, Daniel Guestier fut exclu de sa profession en 1685, lorsque le roi Louis XIV signa la révocation de l'édit de Nantes. Son fils François quitta sa Bretagne natale et vint s'installer à Bordeaux

au début du XVIIIe siècle. Il devint secrétaire du plus gros propriétaire viticole de l'époque, Alexandre de Ségur, le «prince des vignes», ce qui lui permit d'apprendre le métier de négociant. En effet, une annonce publicitaire datée de 1736 nous apprend que les vins de Lafite et de Latour pouvaient être achetés, non seulement chez M. de Ségur, mais aussi «à la maison de M. François Guestier, dans la rue du Cerf Volant», à Bordeaux. François Guestier eut deux fils de son mariage avec Jeanne Conte. Le second, prénommé Daniel comme nombre de ses ancêtres et descendants, naquit en 1755 : il s'engagea comme marin à quatorze ans, ce qui ne surprendra personne, compte tenu de l'activité commerciale de Bordeaux, notamment avec les îles. Même à quatorze ans, l'amour du négoce commençait à poindre en lui. Ayant emporté quelques marchandises sur le bateau, il les vendit en arrivant aux Caraïbes. De ventes en ventes et d'affaires en affaires, il se débrouilla si bien qu'il put s'acheter une énorme plantation de café à Saint-Domingue, l'île française qui était alors surnommée la «perle des Antilles». Ce grand voyageur se mit à sillonner l'océan pour échanger de part et d'autre des marchandises de toutes sortes. Poursuivi par des vaisseaux anglais dans

Pierre-François

Guestier, jeune

l'Atlantique, il ne dut son salut qu'à la maniabilité de sa goélette, équipée pour pouvoir entrer dans le bassin d'Arcachon, dont les marées et les écueils étaient trop dangereux pour la marine anglaise...

Membre du Club des jacobins au moment de la Révolution, Daniel Guestier bénéficia d'une immunité totale. Toutefois, sa plantation de café fut saisie par les esclaves, et son frère aîné Pierre-François fut arrêté en 1793. Il ne fut pas le seul : son ami Nathaniel Johnston, dont la sœur avait épousé Hugh Barton, connut le même sort. Et Hugh Barton lui-même fut également emprisonné. C'est donc sur Daniel Guestier que reposa alors la gestion des affaires familiales et de la maison Johnston. Malgré les troubles de l'époque, il réussit à les faire prospérer. Dans une lettre à Barton, il précise qu'il achète des vins pour son compte «comme s'ils étaient les miens». Sa capacité à défendre les intérêts de son associé scellera définitivement une collaboration entre les deux familles, qui ne s'arrêtera qu'en 1960, avec la mort du dernier Guestier. Parmi quelques-uns de ses coups d'éclat, il faut signaler la belle opération conclue en 1796. Alors que château Margaux traversait une période difficile, Daniel Guestier pilota un groupe d'investisseurs chartronnais, parmi lesquels Mac Carthy, Forster et Henri Martin, qui convinrent d'un bail de quinze ans avec la propriété. Ils s'engagèrent à payer vingt-quatre mille livres de loyer annuel jusqu'en 1811, et le bénéfice de l'opération aurait finalement atteint cent mille livres...

Titulaire de la Légion d'honneur, Daniel Guestier fut anobli par Louis XVIII qui le fit baron. Il devint le patriarche de la communauté négociante des Chartrons, et fut élu président de la Chambre de commerce. Il participa à la création de la Banque de Bordeaux, et surtout assura une partie du financement de la construction du premier

pont sur la Garonne à Bordeaux, le pont de Pierre. Très actif jusqu'à quatre-vingts ans passés, il revint vers l'armement des bateaux à la fin de sa vie, et créa un service de navires à vapeur sur la Garonne, la Dordogne et la Gironde, pour le trafic fluvial. Son descendant Guy Schyler résume sa personnalité en quelques mots : «Il a su organiser chacune des étapes de sa vie, marin, armateur, banquier, homme public, négociant et paysan, avec une clairvoyance et un bon sens admirables.» Sa fille Nancy épousa Jean-Édouard Lawton, tandis que son fils Pierre-François se maria avec Anna Johnston, fille de Nathaniel. Ces deux mariages consacrèrent la solidarité des familles qui régnaient alors sur Bordeaux, et enracinèrent encore la place des Guestier comme piliers incontournables de la vie des Chartrons.

Pourquoi Pierre-François acheta-t-il Beychevelle ? Est-ce parce que l'offre de Conte était alléchante ? C'est peu probable. En vendant la propriété le double de ce qu'il l'avait payée vingt-cinq ans plus tôt, Conte montra qu'il n'était pas homme à faire des cadeaux, même à son petit-neveu. Mais les Guestier père et fils n'étaient pas mécontents de montrer à leur associé Barton, qui avait acheté Langoa en 1819, qu'eux aussi étaient capables de s'offrir un grand cru du Médoc. Et un château qui ne le cédait en rien à son voisin en matière d'architecture et de beauté, quoique Langoa fût un exemple remarquable d'harmonie classique, d'élégance et de proportions. Sur ce point, il apparaît que l'influence de Daniel sur son fils a été déterminante pour l'acquisition de Beychevelle. Car si le contrat de vente a bien été établi au nom de Pierre-François Guestier, nous savons par les lettres de sa femme Anna que ce dernier était à Londres à ce moment-là, et que c'est son père qui régla avec Conte tous les éléments de la transaction.

Pierre-François Guestier eut plusieurs passions dans sa vie, la politique et l'agriculture, notamment ; mais les chevaux l'ont accaparé avec une fascination toute particulière. Il possédait deux élevages, l'un dans une propriété familiale située à Floirac, près de Bordeaux, et l'autre à Beychevelle. Il fonda sa propre écurie dès 1821, et son cheval Écureuil gagna sa première course le 3 juillet, dans le prix d'arrondissement de Gradignan, dans la banlieue bordelaise. La course n'avait pas été sans incident : un compte rendu de l'époque souligne qu'elle «fut recommencée parce que le jockey de M. Guestier perdit sa toque la première fois»... Mais l'écurie Guestier devint surtout célèbre à partir de l'acquisition, faite en Angleterre par Pierre-François, d'un fantastique étalon pur-sang nommé Young Governor. C'était le descendant direct d'un des plus fameux chevaux de l'histoire hippique, le célèbre Éclipse, dont les victoires en course furent si nombreuses que le milieu du cheval avait forgé ce proverbe : «Éclipse first the rest nowhere.» Ce que l'on peut traduire par : «Éclipse est premier, et les autres nulle part.»

Pour abriter comme il faut Young Governor, ses juments et sa descendance, Guestier fit construire une ferme spéciale à Beychevelle. Selon la chronique hippique du temps, l'étalon «fut prolifique et donna satisfaction, le haras de Beychevelle prospéra, et ses élèves brillèrent sur les hippodromes, où les courses, aux environs de 1840, devinrent de plus en plus nombreuses, et de mieux en mieux organisées. (...) L'histoire des courses dans le sud-ouest se résume en grande partie dans la lutte courtoise et obstinée des écuries Nexon, Fould et Guestier». L'écurie Guestier qui fut la principale représentante de Bordeaux dans le monde hippique du XIXe siècle, resta à Beychevelle jusqu'en 1875. A partir de là, l'élevage déménagea et fut installé à Bel Sito, la propriété de Floirac. Après la mort de Pierre-François, et même après la vente de Beychevelle en 1875, ses deux fils Daniel et William poursuivirent la tradition équestre de la famille, et la renommée de cet élevage ne faiblit pas. Au point qu'en 1950, cent trente ans après la création de l'écurie, les couleurs Guestier couraient encore à l'hippodrome du Bouscat, portées par l'étalon Le Tigre, digne descendant du glorieux Young Governor.

Pierre-François Guestier et sa femme Anna habitèrent assez peu à Beychevelle. Le domaine n'était pour eux qu'une résidence parmi d'autres. Toutefois, le châtelain était très connu dans le Médoc, puisqu'il en fut élu député en 1834. Tout porte à croire qu'il prit son rôle au sérieux. Témoin une pétition de 1839, émanant des habitants du nord du Médoc, qui indique clairement : «M. Guestier, après avoir sondé nos plaies, s'occupait sans relâche à les guérir, nous sacrifiant et sa santé et ses affaires. De notables améliorations ont eu lieu dans l'arrondissement, et votre gouvernement, en accordant des secours pour s'opposer à l'invasion et aux ravages de la mer, a fait renaître l'espérance au sein des populations du Bas-Médoc.» C'est autant comme parlementaire que comme propriétaire viticole qu'il se passionna pour l'agriculture. Une plantation modèle de chênes-lièges, conçue par lui à Beychevelle, lui valut une médaille d'or de la Société agricole de la Gironde en 1845. Et vingt ans plus tard, le secrétaire général de ladite société, M. Dupont, écrivait que «nul dans le département n'a fait plus d'efforts soutenus, plus de sacrifices sages et fructueux pour toutes les branches du progrès agricole» que M. Guestier. Il insiste également sur «la part si grande qu'il a prise lui-même depuis 1815 jusqu'en 1848 au mouvement agricole qui a transformé la Gironde».

Pourtant, ce dévouement affiché à la cause rurale ne fut pas toujours reconnu par la nature. A partir de 1850, l'oïdium, champignon microscopique, fit dans les vignes de terribles ravages. Le vignoble de Beychevelle fut de tous les grands crus le plus touché par le fléau, et il perdit plus des trois quarts de sa production. Alors que beaucoup de propriétaires se laissaient aller à un certain fatalisme, Guestier se lança dans des essais de traitement plus ou moins réussis. Le régisseur du château Latour, M. Boutet, écrivit en août 1853 que «M. Guestier fait continuer les fumigations et les lavages, quoiqu'il ne trouve pas d'améliorations, mais il veut persister encore». Cette ténacité s'appuyait sur une

découverte faite par un certain Joubert, agent de Barton et Guestier à Paris. Agronome bien connu à Bordeaux pour ses travaux sur la viticulture, Joubert avait trouvé un «procédé facile et peu dispendieux, en employant un petit fourneau portatif, très léger en forme de cône, pour opérer une fumigation sulfureuse», ainsi qu'il est décrit dans un mémoire officiellement remis au préfet de la Gironde en 1852. Le procédé était peut-être facile et peu dispendieux, mais il avait peu de chance d'être efficace, car «il reposait sur une analyse erronée des causes de l'oïdium, que l'auteur attribuait à des piqûres d'insectes».

Mais les efforts de Pierre-François finirent par être récompensés, en 1866, par la deuxième médaille d'or attribuée par la Société agricole de la Gironde à Beychevelle. Cette fois, elle était bien destinée à la tenue irréprochable des vignes et de l'ensemble de la propriété. Les raisons de cette récompense, qui avait une immense valeur à l'époque, sont consignées dans un texte qui précise notamment : «M. Guestier se rattache complètement à la substitution du fil de fer à la latte. Le labourage s'effectue, partie avec l'ancien araire médocain, partie avec la charrue Skawinski. L'unité de cépage, indispensable en Médoc plus que partout ailleurs, est établie à Beychevelle avec une exactitude exemplaire. Pas un pied ne se fourvoie dans les familles étrangères... Les bâtiments ruraux, groupés selon leurs diverses destinations, ont été visités avec intérêt par la commission. La charité y a revendiqué ses droits et une salle d'asile, établie dans les dépendances du château, procure à l'enfant un ciment d'éducation, et permet à la mère de vaquer aux travaux agricoles. Le cuvier établi selon l'ancienne méthode contient treize cuves et un foudre de soixante-dix-huit barriques. La vendange arrive directement au pressoir : elle est dérapée et portée par les hommes dans la cuve. L'écoulage se fait à la comporte, dans un magnifique chai, de cent douze tonneaux en sole.»

Ce texte appelle plusieurs précisions. Il évoque «l'unité de cépage, indispensable

en Médoc», recommandation qui ne paraît pas avoir été suivie dans la mesure où, contrairement à la Bourgogne, le vignoble de Bordeaux, et singulièrement celui du Médoc, s'est toujours appuyé sur une variété de cépages bien distincts. Aujourd'hui encore, il n'est pas rare d'en trouver quatre ou cinq différents sur la même propriété. D'autre part, il cite le nom de Skawinski, qui était un technicien et un agronome très réputé de l'époque. Originaire de Pologne, il travailla beaucoup à Saint-Julien, notamment chez M. Johnston à Ducru-Beaucaillou. Il contribua grandement à la propagation de la célèbre «bouillie bordelaise», potion magique anti-mildiou, découverte par les professeurs bordelais Millardet et Gayon, et expérimentée dans le Médoc.

Par une triste ironie du destin, Pierre-François Guestier reçut la fameuse médaille l'année même où il dut se défaire de sa propriété de Batailley, cru classé de Pauillac. Ce château avait été acheté à la barre du tribunal de Lesparre par son frère en 1818, pour la somme de cent dix mille francs. Il fut revendu en 1866 à M. Constant Halphen au prix de cinq cent mille francs. Mais il avait été considérablement modernisé et agrandi par rapport à l'origine. Toutefois, à Batailley comme à Beychevelle, les dégâts de l'oïdium avaient fait tomber la production de soixante tonneaux à quinze dans les années 1852-1857. Cette vente permit aux héritiers Guestier de faire face à des problèmes financiers, causés non par la mauvaise situation du négoce, mais par une indivision familiale inévitable dans une famille aussi nombreuse. Il suffit pour s'en convaincre de savoir qu'Anna et Pierre-François Guestier avaient eu dix enfants. Huit d'entre eux survécurent, dont six filles : Susan, qui épousa un M. Brown bien connu dans les milieux viticoles de Bordeaux ; Wilhelmine, qui épousa Franck Phelan, dont le château Phélan Ségur à Saint-Estèphe perpétue le souvenir ; Marie-Élisabeth qui resta célibataire ; Anna qui se maria avec Alexis Baour ; Georgina qui épousa le courtier Daniel Lawton, et Charlotte mariée avec un autre Lawton, William.

Pierre-François Guestier mourut le jour de ses quatre-vingts ans, le 16 septembre 1874, dans sa maison patrimoniale du Pavé des Chartrons, où il avait vécu toute sa vie. Depuis presque trente ans, il s'était retiré de la vie politique à cause d'une surdité prématurée. Mais après avoir abandonné l'Assemblée nationale en 1847, il avait été nommé pair de France, en reconnaissance des services rendus à son pays, et singulièrement à son département. Après sa disparition, ses fils comprirent que le moment était venu de se défaire de cet héritage indivisible considérable qu'était devenu Beychevelle. Le classement en quatrième vin du Médoc, même s'il ne comblait pas les espérances initiales des Guestier, donnait un prestige accru à Beychevelle. En outre, c'était l'époque des grandes transactions dans le vignoble. Entre 1865 et 1880, pas moins de dix-huit crus classés ont changé de mains ; pour sept d'entre eux, le prix dépassa le million de francs. Beychevelle fut vendu un million six cent mille francs, soit une évaluation d'environ quinze mille francs par hectare. A l'époque, les deuxièmes crus du Médoc se vendaient entre quinze mille et vingt mille francs l'hectare. Beychevelle était donc bien revenu dans le giron des plus grands.

Ce prestige que, pendant un demi-siècle, les Guestier se sont tant attachés à restaurer avait été incontestablement conforté, dès juillet 1845, par la visite des deux fils du roi Louis-Philippe : le duc de Nemours et le duc d'Aumale. Beychevelle inaugurait sa période «royale» et le récit est éloquent : «Leurs altesses se sont arrêtées d'abord dans l'atelier de tonnellerie, où un très grand nombre d'ouvriers étaient occupés à leurs travaux. Ils sont descendus dans les caves qu'ils ont visitées dans le plus grand détail, et avec un intérêt tout particulier. Leurs altesses ont porté aussi leur plus vive attention aux caves destinées aux vins en bouteille. Elles ont paru étonnées en voyant ces immenses casiers, garnis de haut en bas par les meilleurs vins du monde. Quelques minutes après, leurs altesses et leur suite se trouvèrent dans

L'entrée des chais

56

l'atelier de tonnellerie, transformé, comme par enchantement, en une élégante salle à manger.» Suivit une «collation» dont on n'a pas gardé les détails... Cent quarante-deux ans plus tard, d'autres altesses devaient honorer Beychevelle d'une visite.

UNE HISTOIRE D'AMOUR

Il est impossible de quitter définitivement Pierre-François Guestier sans évoquer sa femme Anna, dont la personnalité prend place tout naturellement dans la galerie des grandes dames qui ont marqué la vie de Beychevelle. Anna Johnston, fille de Nathaniel, est née dans une banlieue de Londres beaucoup moins connue au siècle dernier qu'aujourd'hui : Wimbledon. De son mariage avec Pierre-François, elle eut dix enfants, et en 1837, à l'âge de trente-neuf ans, elle était déjà grand-mère, sa fille aînée s'étant mariée en 1835 à l'âge de seize ans... Ce sens solide de la vie de famille ne l'empêcha pas de participer très étroitement aux affaires de son mari. Grâce aux lettres conservées par Guy Schyler avec beaucoup d'autres documents familiaux, on apprend qu'elle s'intéressait de près à la gestion des propriétés. «Je pense que tu pourrais investir quarante mille francs aux vignes ici, pour augmenter la valeur du domaine», écrit-elle à son mari depuis Beychevelle. En vérité, le jeune couple était plus anglais que français, Pierre-François ayant à gérer le bureau londonien de Barton et Guestier. De ses nombreuses absences, naquit une correspondance, où Anna s'exprime d'un ton libre et souvent touchant. Ainsi, le jour de son vingt-quatrième anniversaire : «Mon très cher petit mari, ta lettre infiniment triste et chère du 12... cela vaut presque la peine d'être seule pour écouter de telles douceurs si gentilles. Ta pathétique "Anna ma chère Anna" me touchait jusqu'à mon âme.» Deux jours plus tard, le ton est très différent : «Mon cher Guestier,

Anna Johnston

c'est vraiment sans y réfléchir que je t'ai blessé et fait du mal. Ta lettre du 14 m'a frappée jusqu'au cœur.» Et un peu plus loin : «Je te donne ma parole d'honneur que je n'étais pas en colère quand j'écrivais. Je n'étais que très bas et misérable, comme je le suis toujours sans toi. Et c'est une de mes caractéristiques d'être plutôt une passionnée.»

C'est encore par une lettre d'Anna datée du 1er mai que l'on connaît avec précision l'état général de Beychevelle au moment où les Guestier l'ont acheté, c'est-à-dire en 1825. Pierre-François étant une fois de plus à Londres, sa femme lui fait une description détaillée de «la ruine», et laisse percer toute la tendresse qu'elle lui porte :

«Il me paraît un vrai rêve, mon très cher mari, de penser que je t'écris de cette si magnifique ruine... C'est un lieu bien différent de celui que nous avons quitté, M.C. ayant tout enlevé qui en valait la peine. Il n'y a ni lit ni rideaux, seulement six lits avec matelas à plumes, et seulement deux couvertures. Il n'y a ni assiettes ni tasses... les quatre petits valets n'ont que six draps en simple charité, et par simple charité pour nous-mêmes j'achèterai quelques couvertures... J'aimerais y aller avec toi à ta première visite. Malgré la quantité d'affaires qui manquent, la femme de l'homme d'affaires a réussi à me préparer un bon dîner hier et un excellent petit déjeuner ce matin... cela fait mal au cœur, c'est même déchirant de rester séparés si longtemps... ce même jour à la même heure environ il y a sept ans tu me tenais dans tes bras à la porte de la chambre d'études, te rappelles-tu ? Mon mari chéri !...

Je t'aimais déjà tant : aujourd'hui combien es-tu plus précieux à mon cœur et avec quelle tendresse je t'aime !!!... J'ai pensé qu'il serait utile de faire faire quelques réparations essentielles... et j'espère que tu ne seras pas contre. Heureusement, il a plu fortement cette nuit et nous pouvions donc juger

58

Hotel des Ministres
1 Jan'y 1839. —

Many happy returns of this day do I wish you my
best beloved and may we next year be united to our
dear children and parents and have no harrowing
wound to tear our hearts to pieces, but only the tender
though painful recollections of the past & those we have
mourned over, And who are watching over us from
heaven, softened by the proper & sober enjoyment of the
many blessings we are surrounded by. May all those
tormenting worldly troubles have ceased and your mind
be no longer disturbed by the unprincipled conduct of
that wretched brother in law of ours. I woke at 6 this
morning, and could not sleep again when I remembered
where I was, how far from you & my beloved chicks —
& my dear, dear Mother without whose precious blessing
I have never passed this day before. then I thought of
our undisturbed happiness, this time 5 years when we
were expecting our last little angel. & then of our lovely
lost Adelaïde & my heart was torn to pieces, but then
remembered how much worse it might have been, if
our God had not been merciful to us and restored
our precious boy And I was comforted & grateful. —
We are sitting all three round the fire, having
breakfasted on tea and brioches, and I cannot say we
are wonderfully cheerful, however we shall go to poor

de l'état des tuiles. La pluie a copieusement pénétré la tour du nord et a failli noyer M. Grey... nous avons envoyé chercher le couvreur pour les greniers et M. Grey lui a indiqué les réparations essentielles... nous pouvons au moins sauver la charpente. Selon l'avis de mon frère j'ai demandé à l'un des valets d'amener un ou deux tombereaux de gravier après sa journée de travail au pont près du mur ou faute de quelques soins, le bois est totalement exposé à la pluie et aux roues des charrettes et deviendra bientôt très dangereux... J'ai visité chacune des maisons des valets et des employés et j'ai parlé à toutes leurs femmes donc tu me trouveras tout à fait chez moi à ton retour. J'ai vu les Barton chaque jour et nous avons échangé beurre et légumes... M. Conte a demandé que ses armoiries soient enlevées de l'entrée et M. Grey a proposé de faire mettre les nôtres à la place, prétendant que l'espace vide défigurerait l'entrée... il y a toute la volaille que nous devons racheter à un prix évalué car M. Conte les considère comme sa propriété ainsi que la vache à lait... bref je suis heureuse d'être descendue et d'avoir tout vu moi-même. je comprends tout mieux et je suis vraiment ravie du lieu et pour nous c'est tout à fait ce qu'il faut... chaque dépendance est infiniment supérieure à la maison. (qui) est dans un état de ruine avancé, tout objet d'intérêt ayant été enlevé...»

Au moment des vendanges, Pierre-François était à nouveau absent. C'est Anna qui organisa pour le personnel du château, et tous les ramasseurs, une fête comme il est d'usage lorsque toute la récolte est rentrée dans le cuvier. Ses premières vendanges à Beychevelle ont visiblement marqué la jeune femme : «Je ne peux pas m'empêcher de t'informer à plusieurs reprises de mes sentiments et de mes pensées, chaque jour et à chaque heure, comment tu m'es chère *(sic)* et avec quel malheur je supporte ton absence ; mais si tu étais ici, tu ne croirais guère cette dernière opinion à cause de la gaieté de cette maison. Tu étais attendu aujourd'hui et les gens du château avaient choisi le jour pour leur fête. Ils préparaient un beau dîner pour soixante-dix personnes dans le grenier à côté du jardin du prixfaiteur*, il y avait plein de tout. Je me présentais avec mon personnel après qu'ils étaient assis. Je leur souhaitais bon appétit, lequel était accueilli avec une sorte d'acclamation. J'avais ajouté une invitation à danser dans le salon ce soir, cela aussi fut joyeusement accepté. Tu ne peux pas imaginer comment tout cela a étonné Georgy et M. King. Ma grandeur a dépassé leurs prévisions. Ils ont dansé dans le salon depuis cinq heures et sont plutôt gais. J'ai compté cinq gigots de mouton, six pièces de rôti de bœuf, six carbonnades... oh, on m'appelle pour les voir danser quelque chose de rare.»

Cette correspondance dont les accents de sincérité relèvent le prix, et compensent largement un défaut total de ponctuation, confirme un point dont le domaine aura souvent eu à pâtir, c'est l'absence chronique du propriétaire. Mais cela ne doit pas surprendre. En bons négociants, les Guestier considéraient que leurs affaires étaient beaucoup plus importantes que leur domaine. Beychevelle leur était certes utile, et les grands chais du château furent largement utilisés pour la mise en bouteilles et le stockage de tous les vins vendus par la maison Barton et Guestier. Mais l'époque voulait que le commerce passe avant tout le reste. Cette primauté du négoce sur la terre a longtemps constitué une sorte de tradition à Bordeaux jusqu'aux débuts des années 1980. Il reste que la maison Guestier était la deuxième société de négoce des Chartrons à cette époque, la première place étant occupée par Nathaniel Johnston. D'après une liste des plus gros contribuables de Bordeaux, Johnston était septième et Guestier vingtième. Les Chartronnais n'étaient pas aussi riches qu'on croit ; des armateurs ou des gros commerçants ont fait à Bordeaux des fortunes plus considérables qu'eux. Cependant, en période de crise ou de déprime financière, les grands négociants ont toujours préféré sacrifier leurs châteaux, même les plus grandioses, pour garder ce qu'ils ont toujours regardé comme leur vrai patrimoine : leur société de commerce.

Bordeaux, le 30 Janvier 1847

Madame,

Je me suis occupé, hier matin, de la petite négociation dont vous m'aviez chargé. M. le Maire m'a répondu qu'il réunissait le bureau central de charité dans la journée, et que le soir il me communiquerait le résultat de sa délibération.

Le soir en effet, j'ai reçu de lui un billet où il m'annonce que le bureau n'a pas cru devoir revenir sur sa résolution première, tendant à demander pour tous les pauvres de la ville, la moitié du produit net d'un bal de charité.

La loi l'autorisant à prélever, à la porte de tous les lieux publics d'amusement, le quart de la recette brute au profit des pauvres, il a pensé qu'il n'était pas

À Madame Guestier, Présidente de la Société de Charité Maternelle, à Bordeaux

Un banquier
dans les vignes

—

C'est un riche banquier parisien, Armand Heine, qui acheta Bey-chevelle en 1875 aux héritiers Guestier. Bien qu'il mourût en 1883, et ne s'occupât de son domaine que peu de temps, ce court délai a suffi pour faire de lui un digne successeur de tous ceux qui ont marqué le château par leur amour du vignoble et leur souci de qualité constant. Cousin du poète allemand Heinrich Heine, Armand était le neveu de Salomon Heine, banquier à Hambourg, qui avait rétabli le crédit de sa ville après son incendie désastreux en 1842. A l'image des Pereire, qui étaient comme eux des banquiers d'origine juive, les frères Armand et Michel Heine jouirent très vite d'un grand prestige à Paris, où ils avaient transféré le siège de la banque familiale. La guerre de Crimée leur fournit l'occasion de faire d'excellentes affaires, et ils fusionnèrent leurs bureaux avec la banque Fould, dont ils géraient déjà une partie des activités. En 1878, Armand Heine reçut la Légion d'honneur pour services exceptionnels rendus à la France, avec les emprunts nationaux destinés à la libération du territoire, en fonc-

tion des conditions imposées par Bismarck. Et en 1890, son frère Michel accédait au sommet de la finance comme gérant de la Banque de France.

Les Heine menaient grand train, et participaient avec éclat à la vie mondaine la plus brillante de la fin du XIXe siècle. On les voyait à Deauville, à Spa, à Contrexéville, en compagnie de la duchesse de Richelieu, de la princesse de Monaco ou du duc d'Elchingen, dont ils étaient, peu ou prou, parents ou alliés. Leur rang, leur fortune et leurs relations les destinaient logiquement à devenir châtelains, et l'acquisition de Beychevelle fut une opportunité qu'ils ne laissèrent pas passer. En outre, il faut savoir qu'Armand Heine avait ramené d'un voyage en Louisiane une jeune épouse de vingt-deux ans sa cadette, Marie-Amélie Kohn. Ils s'étaient mariés en 1860 à La Nouvelle-Orléans ; mais la jeune femme avait tellement souffert du mal de mer, pendant son voyage de noces sur le Mississippi, qu'une fois quittée l'Amérique, elle avait juré de n'y jamais plus revenir... Voyant la Gironde couler majestueusement devant le château, Armand Heine pensa que Beychevelle rap-

rappellerait à sa femme sa terre natale, et l'histoire familiale rapporte qu'il l'acheta surtout pour elle. Elle n'y vint pas sans une certaine appréhension : dans une lettre adressée à son mari depuis Royan, elle lui confie «qu'il y aurait de mauvaises fièvres dans ces contrées», selon une rumeur entendue dans la station balnéaire charentaise. Considérait-elle le Médoc comme une jungle inexplorée ?...

La brillante société mondaine, dont les Heine étaient les piliers, se retrouva à Beychevelle pour les vendanges. En 1876, le chroniqueur et dessinateur Bertall, auteur

Champs-Élysées prolongés, c'est Paris», note Bertall, qui établit une comparaison avec les vendangeurs, «des gens bizarres, mi-montagnards, mi-citadins, curieusement entassés sur des chariots étranges»...

Passé les premiers moments de découverte et d'étonnement, Bertall se conduit en vrai journaliste, et son stylo nous restitue un siècle, une saison, un moment de la vie de Beychevelle. La technique des «vendanges au violon» y est soigneusement décrite, et le souci du détail n'enlève rien à des sursauts d'humour.

«Quand on est assis sur la belle et

d'un ouvrage sur les grands vins de France et illustrateur de Balzac, participa à un long séjour au château, dont il laissa un récit détaillé. «Depuis plusieurs années, la mode est venue de parer sa fortune d'un grand cru, comme on pare sa femme d'aigrettes ou de rivières de diamants», écrit-il tout d'abord, avec une ironie toute parisienne. Mais depuis la calèche qui est venue le chercher à la gare de Bordeaux, il remarque «des bouquets de grappes richement teintées de ce bleuâtre chaud et velouté, que colore puissamment le soleil, s'agrafant à la base des ceps, alignés comme une savoureuse armée»... En ce qui concerne les invités du banquier, «c'est le faubourg Saint-Honoré, ce sont les

monumentale terrasse, qui domine toute cette séduisante perspective, que les fines anecdotes et les mots aimables et gracieux s'échangent (...) que le beau soleil colore ces vastes étendues de prairies semées de bouquets d'arbres au milieu desquels on voit au loin courir les troupes de poulains en liberté, c'est une véritable fête pour les yeux et pour l'esprit. Les messieurs fument des havanes tirés, nous dit-on, des grands crus de là-bas ; et les femmes les écoutent avec plaisir, quand toutefois ce qu'ils disent en vaut la peine. (...)

«Aujourd'hui nous sommes montés en calèche découverte, à l'heure où, à Paris, on va se promener autour du lac. Les toilettes élégantes des jeunes femmes et des

Les "vendanges au violon" dessinées par Bertall

64

jeunes filles pétillent, et disparaissent au milieu des travailleurs. Des cavaliers, le bouquet à la boutonnière, galopent gaiement dans les allées latérales en recevant les saluts des vendangeurs.

«Les vendanges ne commencent que lorsque le soleil, ayant pris quelque peu de force, a séché les buées et les rosées déposées sur les grappes par la fraîcheur de la nuit... De loin en loin les bandes de vendangeurs piquent la verdure qui couvre le sol de notes rouges, blanches et dorées qui donnent un brio de plus au tableau qui se déroule sous les yeux ; des fusées de rires s'élèvent, des chansons joyeuses éclatent çà et là, et l'on voit de loin le va-et-vient des paniers emplir les cuves posées sur les chars que traînent les bœufs à demi cachés dans les vignes.

«Les chars portant ce qu'on appelle deux charges chacun se rendent majes-

tueusement et lentement au pressoir. Des hommes vêtus de simples chemises, de pantalons retroussés, jusqu'à mi-cuisses, les jambes rouges de jus de la vigne, sont là qui attendent... C'est le tour des agrappoirs, instruments portés sur des tréteaux, où les grappes noires sont placées à grand renfort de pelles. Tous se placent autour des agrappoirs ; ils se précipitent sur les grappes, les pétrissent avec fureur. Le grain mêlé de jus tombe dans le pressoir, le jus tombe par une rigole dans les petites cuves placées en dessous... puis tout à coup le signal est donné, le violon fait entendre un trille comme invitation à la danse, et voilà une douzaine de danseurs dont les pieds nus, agités comme par le dieu du vin, piétinent la vendange en l'écrasant ; ils sont gais, prennent des poses plastiques, tournent et polkent plus ou moins en mesure sur les flonflons de l'orchestre (...). Je regarde les pieds de messieurs les danseurs ; cela, malgré moi, jette un froid dans mon imagination... mais la fermentation, m'assure-t-on, a toujours tout purifié. Dans les cuves qui contiennent généralement quelque chose comme douze tonneaux sont jetés non seulement de ce moût dû au premier foulage, mais des débris écrasés du raisin que l'on voit fouler en cadence.»

Ainsi se passaient les vendanges en 1876. Bertall sera aussi frappé par le fait

que le maître de chai, nommé Laurent, fait «ce que son père a fait avant lui, et avant son père son grand-père, et ainsi de suite jusqu'au temps du Prince Noir, et au-delà...». Il note aussi que les vendangeurs se régalaient «de bonne et succulente soupe aux choux, où nagent d'appétissants quartiers de bœuf» et qu'ils boivent un vin solide, «venu du côté d'Agen». Ces détails sont confirmés par une lettre d'Armand Heine, se plaignant en 1879 que les vendangeurs mangeaient chacun plus d'une livre de bœuf par jour... Enfin, Bertall s'étonne qu'après les violons du foulage, le crincrin et le flageolet prennent le relais, le soir venu, et que «tous ces gens que le travail a courbés pendant le jour trouvent des forces nouvelles pour se démener comme des possédés» et danser jusqu'à la nuit.

LE RENOUVEAU DU CHATEAU

Dès son arrivée à Beychevelle, Armand Heine lança un programme de rénovation intérieure et extérieure fort important. Il s'assura pour cela le concours de l'architecte bordelais le plus en vue : Henri Duphot. On fit venir des parquets de Suisse, on commanda des chandeliers et des vases à un bijoutier de Paris, les papiers peints de toutes les chambres furent refaits, un peintre décora les plafonds des salons, le charpentier Morin reprit maintes poutres et solives, Émile Gallé envoya le catalogue de ses faïenceries et la cheminée du grand salon fut amenée dans la chambre de Mme Heine. Celle-ci contribua à la création de la nouvelle aile gauche du château, entre le jardin et la route, vers le port, aile construite, dit-on, dans le cadre de la «louisianisation» de Beychevelle...

L'aile gauche du château aménagé par Marie-Amélie. Derniers grands travaux avant la restauration complète de 1990

Le parc et l'ensemble des abords de la propriété furent également retapés. Armand Heine veilla personnellement à un nivellement parfait de la cour d'entrée. Il resta toutefois très attentif à ne pas choquer les habitants du Médoc par des nouveautés trop voyantes, craignant que «cela ait l'air un peu trop prétentieux, et ne fasse mauvais effet dans le pays». Il limita son influence personnelle à la pose discrète de ses initiales A.H. sur le grand portail, où elles se lisent toujours. Côté jardin, Mme Heine supervisa de près les améliorations tendant à en faire un paysage de conte de fées. Le sculpteur Tapiau plaça ses sirènes en terre cuite sur la seconde terrasse ; une serre abrita des orangers du Brésil et autres arbustes tropicaux. Un poulailler cher à Mme Guestier fut remplacé par une volière destinée à des oiseaux exotiques. Bref, partout on transforma et modernisa. Des tranchées furent creusées, des chemins percés, des allées tracées. La rumeur rapporte que M. Heine dépensa deux millions de francs de l'époque pour embellir Beychevelle, y compris les investissements dans l'appareil de production et tous les bâtiments. Cette politique d'embellissement a pratiquement toujours été suivie depuis par les successeurs d'Armand Heine. Dans les années 1980, Beychevelle remporta le premier prix des «Châteaux fleuris de la Gironde». Et en 1990, le très redouté chroniqueur américain Robert Parker a rendu un double hommage à la propriété : «Les vins de Beychevelle peuvent être aussi beaux que sont magnifiques les jardins fleuris.»

Dans le même temps, le banquier-viticulteur accentua ses efforts pour rentabiliser son domaine. Très affectés par le mildiou, les vins de ces années-là ne présentaient pas des qualités extraordinaires, et le volume des récoltes n'était guère abondant. Le marché des vins était, en outre,

affaibli par une situation économique mondiale dépressive. Et le terrible phylloxéra commençait à faire parler de lui. Avec son voisin du Ducru-Beaucaillou, M. Johnston, il étudia les mérites comparés du sulfo-carbone et du sulfo-carbonate de potassium pour endiguer ce fléau. Et l'un des premiers en Gironde, il commanda à Skawinski deux mille plants de vigne américaine pour replanter une parcelle à titre expérimental. Il fit même acheter une machine à greffer pour l'occasion. Heine fit tout pour que «le château ait une toute première réputation» : et insista auprès du régisseur pour que «nos gens ne soient pas moins bien payés qu'ailleurs». Supervisant toute chose avec minutie, il se livra à une expérience éloquente. Beychevelle possédait – et possède toujours – une quinzaine d'hectares de vignes sur la commune de Cussac, qui jouxte Saint-Julien au sud. Le vin issu des parcelles cussacaises était évidemment vinifié à Beychevelle, dans le même cuvier que le «grand vin», mais séparément. L'existence de cet apport de vins étrangers au noble terroir de la commune avait peut-être pesé dans la classification de 1855. Et certains prétendent que les vignes de Cussac ont influé sur la quatrième place d'un cru qui pouvait raisonnablement espérer alors un meilleur rang. On trouvera quelque consolation à cette mésaventure dans la *Législation des prix* publiée en 1943 par le syndicat national du commerce des vins. Beychevelle y est

coté à soixante-quinze mille francs le tonneau, exactement le même prix que les meilleurs troisièmes : Palmer, La Lagune et Giscours. Ce sentiment ne variera guère et, cinquante ans plus tard, Robert Parker se fait l'avocat de ce reclassement.

Il reste que cette histoire des vins de Cussac chiffonnait fort Armand Heine. Ayant fait vieillir dans les mêmes conditions deux barriques de chaque vin, il

Les principales

pièces du château,

telles qu'elles avaient

été décorées

à la fin du XIXe siècle,

y compris les chambres

S.A. LE PRINCE IMPERIAL

les dégusta quatre mois plus tard, et se trouva très surpris que «la production de Cussac ressemble autant à celle de Beychevelle, que tout le monde aurait dû supposer bien supérieure»… Tatillon, il voulut savoir précisément combien de vins on perd avec les ouillages. Fataliste, il écrit en octobre 1881 : «Il faut nous contenter avec philosophie des quatre-vingt-quatorze tonneaux faits cette année, et espérer que nous les vendrons bien.» Le millésime 1881 fut une récolte peu abondante, et les vins étaient «solides mais sans charme», selon les commentaires du bureau de courtiers bordelais Tastet et Lawton.

Armand Heine montra un esprit résolument précurseur, imaginant dès 1876 un système de mise en bouteilles au château. Il proposa à son architecte Duphot d'étudier «une installation commode pour pouvoir faire facilement cette besogne de mise en bouteilles sur une grande échelle». Il craignait toutefois la réaction des négociants à cette décision, singulièrement de la part de la maison Barton et Guestier, qui avait depuis cinquante ans le monopole des vins de Beychevelle. Il faut dire qu'après avoir vendu leur domaine, les Guestier n'aidèrent pas le banquier. Dès septembre 1876, Heine écrit qu'il ne trouve pas «M. Guestier de très bon goût

quand il essaie de décrier notre vin. Il s'en serait bien gardé quand il en était le propriétaire…». Six mois plus tard, le monopole disparaissait, et Armand Heine déclarait à tous les négociants de la place de Bordeaux qu'il était «prêt à traiter honorablement et sans préférence». D'après les lettres et les factures qui nous sont parvenues, on sait que le vin de Beychevelle était surtout vendu sur le marché anglais, par l'intermédiaire de la maison Gilbey's qui était le principal importateur. Heine vendit aussi douze mille bouteilles à l'établissement des eaux minérales de Contrexéville, et une barrique à La Nouvelle-Orléans, probablement pour sa belle-famille. En ce temps-là, les grands vins n'étaient pas bu avant cinq ou six ans, et n'étaient mis en bouteilles qu'après deux ans et demi de vieillissement en fûts de chêne. Une médaille de bronze gagnée par le vin de Beychevelle à l'Exposition universelle de 1878 engagea le propriétaire à suivre en tous points les usages loyaux et constants du terroir.

A sa mort, le 13 novembre 1883, Armand Heine laissait une fortune de quatre-vingts millions de francs. Il n'en avait écorné qu'une faible part pour investir dans Beychevelle qui représentait le vingtième de son trésor…

LES FEMMES
AUX COMMANDES

Beaucoup plus jeune que son mari, Mme Heine lui survécut vingt et un ans, jusqu'en 1904. C'est donc elle, avec sa fille et son gendre, qui fit la transition avec le XXᵉ siècle ; et quoiqu'elle fût discrète, et surtout occupée de bonnes œuvres, elle marqua, aussi, de sa personnalité la vie du château. La famille Heine était d'origine juive, mais Armand Heine et sa femme choisirent de se convertir au catholicisme comme beaucoup de membres de la bonne bourgeoisie, par souci d'intégration sociale et par patriotisme. Ainsi, les Fould, banquiers alsaciens, se convertirent dès le début du XIXᵉ siècle au protestantisme. Une fois veuve, Marie-Amélie Heine ne cessa de se dévouer aux autres, ce qu'elle avait fait pratiquement toute sa vie.

Elle visitait les malades, les pauvres et les vieillards, apportait des cadeaux aux nouveau-nés, donnait vêtements et argent (parfois en cachette) aux plus démunis du village. Soutenue par la «fondation Johnston Fould», elle fit construire une sorte de petite crèche, et une échoppe située au bord de la route de Saint-Julien porte encore l'inscription «Dispensaire Marie-Amélie». Sa générosité s'étendit jusqu'à des couvents de Bordeaux, ou des orphelinats de Dordogne, sans compter les dons qu'elle pouvait faire à Paris.

La chapelle du château fut restaurée à sa demande, et elle engagea même un peintre serbe, Vlacho Bukovac, pour y peindre une «descente de croix». Elle commanda à un certain Victor Lambert, qui avait à Bordeaux un atelier d'objets pieux et de «chasublerie», une collection d'objets sacrés impressionnante. L'église du village de Saint-Julien bénéficia également de ses largesses. Tout comme le monastère des pères bénédictins de Soulac, qu'elle prit presque totalement en charge en 1889. Quelques mois plus tard, le 22 janvier 1890, le maire de la commune, Nathaniel Johnston, célébra le mariage de Claire-Blanche-Marie-Louise Heine, fille unique d'Armand et Marie-Amélie, avec Charles Achille-Fould. L'alliance des deux familles était dans la logique des choses. Le grand-père du jeune homme, Achille, avait été l'une des éminences grises de l'empereur Napoléon III, son ministre des Finances et son ambassadeur personnel. C'est lui qui avait apporté à Mme Montijo la lettre demandant sa fille Eugénie en mariage. Son fils Adolphe-Ernest avait été député bonapartiste ; leur situation à Paris où ils vivaient était des plus brillantes.

Il semble que le gendre n'ait pas toujours entretenu avec sa belle-mère des rapports de grande affection. En fait, depuis la disparition du maître des lieux, le domaine vivait sur sa lancée, perdant en partie son avance technique et commerciale. Aussitôt après la mort d'Armand Heine, l'homme d'affaires de la famille, M. Gué-

rin, écrivit que «Mme Heine ne désire prêter son concours à aucune affaire commerciale». Pourtant, elle demeura très présente à Beychevelle, et jusqu'en 1897, son nom apparaît sur les bordereaux de courtiers pour les ventes de vins. C'est seulement à partir de 1900 que le seul nom de Fould est consigné ; il allait le rester pendant plus de quatre-vingts ans.

Charles Achille-Fould n'a pas été un homme facile. En 1901, depuis la Chambre des députés, il écrivit au régisseur de Beychevelle, âgé de soixante-seize ans, une lettre furieuse : «M. Guérin se mêle de ce qui ne le regarde pas. Il n'a pas à intervenir dans les ordres que je vous donne. Il m'a écrit dernièrement pour me demander des explications. J'ai mis la lettre au feu sans répondre. Mille amitiés.» Il ne prit complètement en main la gestion du domaine qu'après la mort de sa belle-mère. Il s'employa, semble-t-il, à effacer les usages établis par sa belle-famille, et fut heureux d'annoncer qu'il s'était séparé de la banque en ces termes : «Nous avons tout rompu avec Heine et Cie» dans une lettre de 1908. Il connut également d'inévitables problèmes commerciaux, la première décennie du XXᵉ siècle n'ayant guère favorisé le négoce des vins de Bordeaux. Pourtant, les excellents millésimes 1898, 1899 et surtout 1900 constituèrent une trilogie historique de récoltes abondantes et de très grande qualité. Le commerce n'en devint pas florissant pour autant. Fould répondit ainsi à la demande d'un négociant pour la vente d'un seul tonneau : «Les affaires sur les 1900 paraissent devoir s'engager si difficilement qu'il vous semblerait opportun de ne pas négliger les chances que pourrait faire naître l'envoi de ce tonneau.» Un peu plus tard, le ton restait aussi découragé : «J'ai été très ennuyé des mauvaises nouvelles que vous me donnez. Mais je ne tiens pas à avoir une grosse récolte. A quoi bon, puisque nous ne pouvons pas vendre ? ...»

Le marasme dura plusieurs années. En 1906 le régisseur Tranchard estimait que «les affaires sont nulles, acheteurs et vendeurs s'observent». Deux ans plus tard, Guérin, qui était toujours au château, pronostiquait la ruine : «Nous finirons par perdre les rares clients qui nous restent.» Ces «rares clients» faisaient partie du réseau particulier des Heine et des Fould. Il s'agissait de «Son altesse sérénissime la princesse de Monaco», M. Macneil à Dublin, le château Invermark en Écosse, ou Mme Clara Kohn, à Prague, destinataire de deux cents bouteilles de Beychevelle 1896, qui fut un très joli millésime en Médoc. Dans la liste des clients personnels, on trouve encore le comte de Ganay en Algérie, un certain M. Fallon, à New York, un nommé M. Suarès au Caire, un M. O'Connor, demeurant dans le quartier chic de Chelsea à Londres, et il y avait même des amateurs au Congo belge et en Afrique orientale... Difficile de dissimuler la vocation exportatrice des grands crus de Bordeaux ! Toutefois, Fould fut bien conscient que ces envois étaient trop limités pour faire tourner efficacement la propriété. Il en vint donc presque naturellement au système de l'abonnement avec le négoce. De 1907 à 1912, deux grandes maisons se partagèrent l'exclusivité du vin : Calvet et Barton et Guestier. Puis jusqu'en 1917, la société Schröder et Schyler s'associa avec eux. Mais le vin paya le prix de ces contrats, et le tonneau de Beychevelle fut facturé à une cote inférieure à celle des premiers vins de Saint-Julien. Toutefois, son prix était comparable à celui du Langoa-Barton, ce qui reste acceptable pour une époque difficile.

LES ANNÉES FOLLES

Immédiatement après la fin de la guerre de 1914-1918, le vin de Beychevelle bénéficia d'une véritable explosion de prix et de demandes. Payé mille quatre cents francs le tonneau en 1917, il passa à deux mille cinq cents francs en 1920, et les deux millésimes remarquables que furent 1926 et 1929 furent payés jusqu'à dix mille francs le tonneau. Charles Achille-Fould vit dans cette envolée une confirmation du bien-fondé de sa stratégie antérieure. En effet, opposé au surgreffage de plants américains après l'attaque du phylloxéra, il écrivait en

Charles Achille-Fould

1908 : «Nous sommes les seuls à avoir beaucoup de plants français, et nous finirons par vendre plus cher que les deuxièmes crus.» Néanmoins, descendant d'une longue lignée de banquiers prudents, il avait finalement autorisé Tranchard à mettre quelques greffes, dans des parcelles particulièrement dévastées par l'insecte, et à replanter «les deux pièces de vignes situées au Perseau, arrachées il y a plus de deux ans».

Après 1920, les Britanniques apprécièrent que Beychevelle fût «toujours sur anciennes vignes, avec de bons résultats pour le vin». Le prestige de Beychevelle s'en accrut. Mais l'entretien des vignes n'était pas chose facile. Pierre Hazera, qui fut longtemps maître de chai, se rappelle que, même à la fin de la Première Guerre, «on traitait avec un pal, une énorme seringue dans laquelle on mettait du sulfure de carbone. Les Montagnols se mettaient en ligne, et travaillaient à la même cadence. La femme se tenait derrière, et bouchait le trou pour laisser le liquide dans la terre. On faisait cinquante ou soixante pieds et on remplissait la seringue. On a arrêté vers 1920, et on a

commencé à changer les pieds progressivement».

Charles Achille-Fould mourut en 1926. Sa femme, qui était «d'une beauté extraordinaire», avait hérité de sa mère Marie-Amélie Heine un sens aigu de la charité. Elle fonda un dispensaire, présida la Croix-Rouge, et entretint à ses frais des infirmières dans tout le Médoc. Mais bien entendu l'essentiel de son dévouement se consacra au domaine lui-même, dont elle prit en charge la vie sociale. Il y avait à cette époque une trentaine de familles sur Beychevelle ; tout le monde ne travaillait pas à la vigne ou au chai ; les bois, les prairies, les troupeaux en accaparaient une partie. Mais les malades, les enfants, les frais de santé étaient couverts par la propriété. Les vieux étaient logés jusqu'à leur mort, s'occupant, s'ils le pouvaient, à des travaux annexes, comme le soin des volailles ou l'entretien du jardin. La générosité de Mme Fould s'exerça sans relâche, et les annales de la propriété ne portent trace d'aucune grève, même dans les années 1932-1936 où nombre de domaines viticoles connurent des moments troublés.

Quelque attachée qu'elle fût à ses multiples œuvres, Marie-Louise Fould n'en oublia pas pour autant ses devoirs de maîtresse de maison. «Mme Fould recevait le milieu militaire, le milieu judiciaire : elle réunissait ensuite les propriétaires du pays, les négociants de Bordeaux. Mais elle ne mélangeait pas les classes sociales. Elle menait un certain train de vie. Il y avait toujours trois cuisiniers : le chef, le sous-chef et le petit marmiton, et des femmes de chambre.» Cet extrait des souvenirs de Pierre Hazera, entré à Beychevelle en 1922 et nommé maître de chai en 1935, fournit une bonne image de l'atmosphère du château entre les deux guerres. Fils du coiffeur de Saint-Julien, Pierre Hazera travailla beaucoup avec le professeur Émile Peynaud à partir des années 1950. Le célèbre œnologue a laissé de lui ce portrait : «C'était un homme remarquable, avec toutes les qualités pour être un grand maître de chai. Il était un Médocain typique, très bavard, très habile, s'expliquant bien avec ses patrons. Mais, chose assez rare, il n'avait pas peur des techniques nouvelles.»

A partir de la mort de Charles Achille-Fould en 1926, son fils aîné Armand prit progressivement les rênes du gouvernement. Officier des dragons pendant la guerre 1914-1918, il en était revenu avec sept citations et une blessure. Sa maîtrise de la langue anglaise, acquise pendant deux années d'études à Oxford, le prédestinait à une désignation comme interprète à la conférence de la paix tenue à Versailles à partir de 1919. Encouragé par sa première femme, Marcelle de Lastours, avec qui il eut trois enfants : Marie-Geneviève, Aymar et Étienne, il se lança dans la politique. Député de Tarbes, dans ces Hautes-Pyrénées qui constituent le berceau de la famille, il devint ministre dans quatre cabinets éphémères en 1931 et 1932. En novembre 1932, il fut chargé d'une mission diplomatique secrète auprès de Mussolini au moment où le Quai d'Orsay songe à prémunir la France contre un isolement stratégique redoutable face à l'Allemagne et à l'Union soviétique. Il envoya au leader italien et à son ministre de l'Agriculture des caisses de Beychevelle 1918, 1921 et 1929, trois excellents millésimes du château...

Véritable gentleman, Armand Achille-

Fould fut un grand monsieur du Médoc. Pour des raisons inconnues, ses proches l'avaient affublé du sobriquet de Zou, ce qui contrastait singulièrement avec sa distinction et sa personnalité. S'il se promenait dans ses vignes, c'était moins pour surveiller l'évolution des grappes que pour entraîner ses chiens à la chasse à la «grouse», lagopède délicieux qu'il traquait en Écosse. De sa jeunesse en Angleterre, il avait gardé l'habitude de prendre un bain tous les soirs avant le dîner. Même quand la sécheresse était telle qu'il n'y avait pas assez d'eau pour laver les cuves ! Fin connaisseur de vieilles bouteilles, il ne mâchait pas ses mots pour clamer ses préférences : «Le Saint-Émilion est une fille de joie qui donne du plaisir. Le Médoc est une grande dame distinguée.» Enfin, comme tout bon gentleman même d'adoption, Armand Achille-Fould aimait la voile. Il avait son bateau ancré au port de Beychevelle, dont s'occupait un marin nommé Jean-Louis. Le débarcadère n'existait plus, mais plusieurs bateliers maintenaient un trafic fluvial de gabares, avec Pauillac et Bordeaux. Les plus hardis bra-

vaient le mascaret pour aller à la foire de Blaye, mais il fallait soigneusement calculer les marées... Sans doute le bateau n'était qu'un sport pour Zou, mais cette activité renouait avec le vieux lien maritime de Beychevelle. Il n'y a donc pas à s'étonner si l'étiquette du château représente depuis si longtemps la silhouette d'un navire aux voiles décorées de feuilles de vigne et de raisins. Quant à l'étiquette de l'Amiral de Beychevelle, qui habille le plus souvent la production des plus jeunes vignes de la propriété, elle porte un trois-mâts de haut bord, image même des vaisseaux qui ont pendant des siècles transporté les vins du Médoc vers l'Angleterre et la Hollande.

UNE NOUVELLE DÉPRESSION

A partir de l'année 1930, Armand Achille-Fould et sa mère eurent à affronter la crise économique mondiale. Elle frappa le Médoc comme l'ensemble de la viticulture bordelaise. En outre, la médiocre, voire exécrable, qualité des millésimes 1930, 1931 et 1932 ne put compenser une dépri-

Le sanctuaire

de Beychevelle :

là dorment les plus

vieux millésimes

me commerciale qui était totale. La réouverture du marché américain, après des années de prohibition, fut la seule lumière d'une période sombre. Les Américains voulurent très vite constituer des stocks de vieux millésimes. La maison Malher-Besse réclama à Beychevelle «des mises du château des années 1922 et 1924». Francis de Luze réclama à son ami Zou des étiquettes de 1928 en urgence, car, écrit-il : «Je ne voudrais pas que les girls de Hollywood ne boivent pas de château Beychevelle pour les fêtes de Christmas...» Parallèlement, illustrant la vieille tradition maritime du cru, le vin de Beychevelle figura tout naturellement sur la carte du paquebot *Normandie*.

Tout cela ne constituait qu'un bonheur relatif pour les propriétaires, confrontés à de sérieuses difficultés. La récolte de 1933 fut achetée sur souches au mois d'août, au prix de quatre mille deux cents francs le tonneau. Soit une chute de 50 % par rapport à 1929. Et pourtant, Beychevelle fut l'un des rares crus classés à conclure cette opération, qui ne concerna qu'un seul acheteur : les marchands de vins anglais Berry and Rudd. Cette maison de Londres avait fait fortune au moment de la prohibition, en envoyant son célèbre whisky Cutty Sark aux îles Bahamas, d'où il repartait sur des petits bateaux vers le continent américain. Charles-Walter Berry vint en Médoc en 1934, et s'arrêta évidemment à Beychevelle. Il goûta une première barrique de ce 1933 dont il avait acheté toute la récolte, et le trouva très bon. Craignant qu'il s'agisse d'un échantillon «préparé», il goûta une autre barrique, qu'il trouva meilleure encore. Réalisant qu'il avait fait une excellente affaire, il se tourna vers son ami Reg, et s'exclama : «Nous sommes comme des coqs en pâte...»

La présence de Beychevelle sur le marché anglais fit une excellente publicité aux vins. La bonne société londonienne, cliente de la maison Berry, en fit le symbole de la civilisation médocaine. Toutefois, la dépression mondiale n'autorisait que peu d'espoirs d'expansion, et l'ensemble du négoce de la place de Bordeaux n'achetait qu'à des cours extrêmement bas. En 1935, un négociant écrit à la propriété : «Étant donné l'importance de votre stock, et le fait que votre 1931 n'est qu'un petit vin de table, je crois que vous auriez intérêt à faire

Les caves voûtées

et humides sont de

véritables coffres-forts

un sacrifice, et à le coter à un très bas prix (...). Faites-moi part de votre décision dès que possible. Je suis persuadé qu'elle sera favorable, étant donné que des deuxièmes crus impeccables, comme Ducru-Beaucaillou, font des prix similaires.» L'époque était rude pour les propriétés, même prestigieuses. Et de nombreux viticulteurs arrachèrent leurs vignes pour planter des pins, persuadés que la résine leur rapporterait plus d'argent que le vin...

Beychevelle encaissa tant bien que mal le choc de ces années de crise. La montée des tensions internationales, puis la déclaration de guerre n'apportèrent évidemment aucun remède au mal dont souffraient de très nombreuses propriétés. L'année 1940 fut l'une des plus noires dans l'histoire de la maison. En effet, le 11 avril, Mme Charles Achille-Fould mourut brutalement. Trois semaines plus tard sa belle-fille succombait à son tour, de manière encore plus tragique et inattendue : elle fut empoisonnée par les émanations d'oxyde de carbone issues d'un tuyau d'échappement percé, au cours d'un voyage Paris-Beychevelle effectué dans une voiture ancienne.

Armand se remaria en octobre 1941 avec Mlle Élisabeth de Foucaud, universellement connue sous le surnom de Lilette. Infirmière pendant la guerre, elle se trouva par hasard à Beychevelle au moment de l'armistice, et soignait des prisonniers rassemblés au château. Issue de la noblesse terrienne du Tarn, et fille d'officier, Lilette savait depuis sa jeunesse que «le devoir a toujours la priorité». Son caractère fort et résolu, son sens de la terre constituèrent un renfort appréciable pour redonner vie à la propriété. Avec courage et détermination, elle s'installa avec son mari à Beychevelle, dont les soldats allemands habitaient une partie. Elle y resta pendant toute l'Occupation, et apporta autant d'elle-même aux soins des cultures qu'à la décoration intérieure. «Malgré le fait qu'il pleuvait autant dehors que dedans», se souvient-elle, elle réussit à acheter, dans un château de Saintonge, une grande et belle tapisserie qu'elle accrocha tout de go dans le grand salon. Bref, Lilette fut fidèle à la longue lignée des grandes femmes de Beychevelle. Aujourd'hui installée à Paris, au milieu d'une fabuleuse collection de faïences bordelaises du XVIIIe siècle, elle se rappelle parfaitement comment M. Emmanuel Cruse, grand ami de son mari, vint un jour le trouver pour lui proposer de lui acheter le château. Visitant les chais, il déclara : «Cela ferait une excellente bergerie : on va mettre des moutons partout...» Découragé par la gestion d'un domaine qui perdait de l'argent, Armand n'était pas opposé à l'idée de vendre. Mais,

Beychevelle, halte champêtre de la grande bourgeoisie bordelaise

91

raconte sa femme : «Mon mari avait été député de Tarbes pendant vingt ans, et il voulait aller habiter dans sa propriété pour élever des chevaux. Mais pour moi Beychevelle c'était l'avenir, et je l'ai empêché de signer le contrat.»

Lilette eut également sa part dans la nomination d'un nouveau régisseur en 1943. Alexandre Corporeau, ancien marin, rédacteur au ministère de la Marine, sut s'imposer malgré une absence chronique de moyens. Et impulsa une politique de replantation, malgré une forte pénurie... de fils de fer. C'est lui qui nomma comme chef de culture Henri Laboual, qui habite toujours une petite maison du village. Il était entré à Beychevelle en 1937 à l'âge de quatorze ans, et représentait la quatrième génération de sa famille sur cette terre. «Les vignerons étaient payés à la pièce, se rappelle M. Laboual. Ils avaient tous leur propre parcelle du vignoble. Étant donné que M. Armand ne regardait pas la vigne de près, ils plantaient quelques ceps de muscat ou de chasselas... pour leur consommation personnelle. Et se permettaient ce petit luxe aux frais du propriétaire.» Henri Laboual a vécu le passage de l'exploitation à l'ère moderne : «Avant la guerre, nous avions dix bœufs, deux mules, et deux chevaux sur le domaine. On a remplacé les bœufs par des chevaux vers 1950, et notre premier tracteur est arrivé vers 1960. Mais il ne marchait pas très bien... Nous avons commencé à replanter dès 1950, et jusque-là, le tiers du vignoble était en friche, surtout du côté de Cussac.» Ces plantations furent surtout celles du cépage merlot, ce qui a contribué partiellement à la réputation de légèreté du vin de Beychevelle, surtout dans des millésimes où la robustesse du cabernet sauvignon était nécessaire à l'équilibre et à la longévité du vin.

Corporeau, Laboual et le maître de chai Hazera constituaient une bonne équipe pour l'exploitation. Côté château, Lilette surveillait de près les travaux du jardinier, M. Frette qui n'était autre que le gendre de M. Corporeau. Il refit des pelouses et des allées, planta des arbres et des buissons, et s'occupa activement de la serre. La cuisi-

nière Alice et la secrétaire Corinne furent également engagées par Lilette, et elles travaillent toujours au château, dont elles constituent des vivants piliers. Il y eut même une gouvernante irlandaise, comme il se doit dans les bonnes maisons... C'est Noël Laudet qui remplaça M. Corporeau, à trente-cinq ans, après une bonne expérience agricole au Maroc. Formé à l'école d'agriculture d'Angers, il était parent avec les Fould, et eut donc avec eux des rapports plus directs. Toutefois, le domaine avait bien besoin d'être modernisé : «Il y avait des cuves de bois par lesquelles on pouvait passer un couteau... L'équipement était resté artisanal ; pas de régulation thermique, juste une vieille pompe, et un serpentin, avec de la glace.»

Tel était également l'avis de Pierre Hazera qui ressentait le besoin d'une association œnologique pour concevoir des vins dignes de Beychevelle : «On mettait les raisins dans les cuves, et tout devait se faire automatiquement. Si cela ne marchait pas, on ne comprenait pas pourquoi... Certains viticulteurs plâtraient leur cuve, et ne revenaient qu'après la Toussaint, au retour de la chasse. La température était montée et tout était asphyxié... On perdait souvent des cuves. J'ai voulu être épaulé par quelqu'un qui ait des connaissances réelles, et j'ai demandé à Mme Fould de faire venir Dubaquié. C'était un abbé, mais il était directeur de la station œnologique. Comme elle était très pieuse, elle a accepté tout de suite...» En fait, c'est surtout Émile Peynaud qui vint représenter à Beychevelle l'institut d'Œnologie où il était professeur.

Le prestige d'Émile Peynaud était encore naissant à l'époque. Quelques rares propriétaires le connaissaient, notamment Jean Bouteiller, qui l'avait fait venir au château Lanessan, à Cussac, l'un des plus proches voisins de Beychevelle. C'est Jean Bouteiller qui parla d'Émile Peynaud à Armand Achille-Fould, lui vantant ses mérites et ses connaissances. Après les vendanges du millésime 1955, la chaleur amena des problèmes terribles de vinifications. Devant la menace de perdre toute sa récolte, M. Fould appela l'œnologue au chevet de ses cuves. Le bon docteur Peynaud trouva la parade sans problème, et il se rappelle d'ailleurs très bien de cette consultation : «Il suffisait de sulfiter pour arrêter la fermentation, et de laisser faire la nature à partir du printemps 1956. Il y eut un départ spontané de re-fermentation, et finalement, personne ne s'est jamais aperçu de rien.» Effectivement, dégusté en 1990, ce vin à double fermentation était exquis, et se présentait comme un Beychevelle classique. Commentaire de Pierre Hazera : «M. Peynaud m'a fait comprendre que la fermentation, ce n'était pas comme une macération ou une tisane. Et que la cuve était quelque chose qui vivait.» A partir de 1955, Émile Peynaud vint souvent à Beychevelle pour conseiller vinifications et assemblages, ce qui se révéla précieux dans des années délicates comme 1958.

A cette époque, Beychevelle avait la réputation d'être un des premiers crus de la commune à vendanger. Ses détracteurs en tiraient argument pour affirmer que ses vins manquaient de corps. Mais cette habitude de vendanges précoces fut fort appréciable en 1964. Hazera voulait commencer à ramasser les merlots, qui mûrissent avant les cabernets. Le régisseur hésitait : «Vous allez être critiqué, et le commerce va dire que Beychevelle vendange trop tôt.» Cependant, les vendanges commencent, et le dernier jour, il se met à pleuvoir des trombes. Une pluie catastrophique pour les raisins restés sur pied. Hazera avait donc eu raison, et le Beychevelle 1964 est l'un des plus réussis de l'appellation...

Le dernier coup d'éclat d'une génération. En effet, un an plus tôt, Armand Achille-Fould avait été victime d'une congestion cérébrale et jusqu'à sa mort, en 1970, fut incapable de gérer l'exploitation. Peu de temps après, Noël Laudet partait chez les Rothschild pour diriger château Ferrières. Enfin, en se retirant, Lilette fermait la période du premier vingtième siècle. Aymar Achille-Fould arrivait aux commandes.

M. et Mme

Armand Achille-Fould

VERS
L'AN 2000

═══

L'arrivée d'Aymar Achille-Fould aux commandes de Beychevelle renouait avec une très ancienne tradition : celle des marins. Né en 1925, il avait fait la guerre d'Indochine comme officier de marine. Cette carrière navale, qui fut par la suite un peu oblitérée par sa carrière politique, eut sur sa personnalité une influence plus importante qu'on le croit. De ses voyages sur les mers, il ramena un réseau d'amitiés et de relations internationales fort utile. Et plus de vingt ans après avoir quitté la «Royale», il aimait à se décrire comme «un vieux marin blanchi sous le harnais». Il reste que le virus de la politique faisait partie de l'atavisme familial, et qu'il n'y échappa pas. D'abord conseiller général du canton de Saint-Laurent de Médoc, où il avait sa résidence de Bernos, il fut élu député du Médoc en 1962. Fidèle au général de Gaulle pendant la guerre, il s'en était éloigné par la suite, se rapprochant davantage des milieux centristes. Lors de l'élection législative de 1962, il fut devancé largement au premier tour par le candidat gaulliste : mais il bénéficia de reports de voix allant des libéraux aux socialistes, en passant par les radicaux, et il fut élu au second tour...

Cette affaire décrit tout à fait le style et la personnalité d'Aymar Achille-Fould. Celui que le Médoc appelait volontiers «Le Grand» ou bien «Achille», par affection, était un homme de contacts, d'ouverture et de relations publiques ; et il échappait au schéma de l'homme de droite classique. Entré au gouvernement, sous la présidence de Georges Pompidou, il devint ministre des Postes, ravivant ainsi la tradition paternelle. Il n'en oublia pas pour autant son village de Saint-Laurent puisqu'il y décentralisa les services de fabrication de l'annuaire du téléphone. Soit plus de trois cents emplois et une augmentation de la population de Saint-Laurent de mille personnes. Les retombées de ce déménagement furent sensibles au-delà du canton, dans ce Médoc où les entreprises industrielles sont rares, et où seules la vigne et la forêt constituent un réservoir d'emplois fixes.

Aymar Achille-Fould siégea au total quinze ans à l'Assemblée nationale, et près de trente ans au conseil général de la Gironde. Sa haute silhouette, sa voix de tribun, son éloquence alliée à une aisance naturelle empreinte de bonhomie en firent une figure à part de la vie politique, loin des clivages traditionnels. Mais Aymar n'en abandonna pas pour autant sa casquette d'homme d'affaires. Gérant de plusieurs sociétés, notamment spécialisées dans le commerce avec l'Afrique, il travaillait beaucoup avec le Nigéria. Mais la guerre civile de 1966 ruina ses affaires. Plutôt que de licencier ses employés, il les

rappela à Paris, et en fit des agents commerciaux de Beychevelle, avec mission de vendre le vin directement sur le marché intérieur français, marché qui absorbait à peu près un tiers de la commercialisation.

De même qu'il eut un sens politique original, Aymar développa à la propriété une politique commerciale qui tranchait avec les habitudes familiales. Depuis la mort d'Henri Heine en 1883, ses successeurs vendaient presque tout le vin aux négociants de la place de Bordeaux. Aymar accorda l'exclusivité de la vente aux États-Unis à la maison Schenley, l'une des premières sociétés américaines de vins et spiritueux. Le négoce bordelais en prit quelque peu ombrage...

A Beychevelle même, malgré des moyens limités pour mener à bien un programme d'investissements et de modernisation, Aymar Achille-Fould était conscient que seule une amélioration de la qualité du vin donnerait au domaine l'assise financière qu'il lui fallait. Le professeur Peynaud y apporta sa contribution, ce qui eut pour conséquence l'émergence d'une véritable politique de sélection. L'étiquette «Amiral de Beychevelle» fut lancée en 1974, pour les deuxièmes vins du château, et ceux issus des plus jeunes vignes. Dans certains millésimes, elle a habillé près d'un tiers de la récolte. Apparut aussi une troisième étiquette, «Les Brulières de Beychevelle», destinée aux parcelles de vignes situées à Cussac, appellation Haut-Médoc, et non incluses dans l'appellation Saint-Julien.

Il reste que la vie politique et parisienne d'Aymar Achille-Fould l'obligeait à mener grand train. Les charges fixes de la propriété qui s'étaient accrues, ajoutées aux aléas de la commercialisation des vins et aux difficultés inhérentes à l'indivision, amenèrent quelque tension dans la vie du domaine. En termes clairs, Aymar Achille-Fould avait besoin d'argent frais pour investir et donc d'un partenaire. Il le trouva avec la Garantie Mutuelle des Fonctionnaires (G.M.F.) qui prit, le 29 janvier 1984, avec le soutien de la Société Générale, 43 % des actions de la société de Beychevelle, 35% restant entre les mains de la famille et 22% à des investisseurs privés. Toutefois, le nouveau montage laissait Aymar à la tête du domaine. Mais l'association de ces deux personnalités très fortes que furent Michel Baroin et Aymar Achille-Fould dura peu de temps. Le

Aymar Achille-Fould
dans le fameux bureau
où Napoléon III
aimait, dit-on,
à parler de diplomatie
et de stratégie

98

bouillant «Achille», dernier représentant de la lignée Heine-Fould, mourut d'un cancer en 1986 à l'âge de soixante et un ans. Il venait d'être réélu député du Médoc, sur une liste emmenée par son vieil ami Jacques Chaban-Delmas. Le Médoc rendit hommage à cet homme de passions le 26 juin 1987 en confiant à sa femme Martine le soin d'organiser la traditionnelle Fête de la Fleur. Les mille participants du dîner de gala présidé par le duc et la duchesse d'York devaient le temps d'une soirée s'imaginer revenus à l'époque où les ancêtres Fould avaient fait de Beychevelle une halte diplomatique.

POUR UNE CIVILISATION DU VIN
En fait, l'accord entre Aymar Achille-Fould et Michel Baroin préfigurait la nouvelle configuration de la vie économique du Bordelais : l'entrée en force de grands groupes, soucieux de développer leur image de marque autant que leur diversification. De ce point de vue, la disparition de Michel Baroin ne devait pas modifier la stratégie de la G.M.F. Son successeur, Jean-Louis Pétriat, l'entérina sans hésitation en rache-

tant 90% des parts. Ce qui eût paru incongru à la bonne société médocaine en 1950 devenait souhaitable à une époque où les investisseurs institutionnels se bousculaient aux portes des vignobles. Et, à considérer le phénomène dans une perspective historique, il n'est guère différent de ce «sursaut» qui profita à Beychevelle après la décennie 1885-1895.

C'est également à cette époque que les groupes japonais montrèrent leur intérêt pour le Médoc. Le nouveau propriétaire recherchant un partenaire capable de conduire avec lui une politique à long terme le trouva avec le groupe japonais Suntory, leader des vins et spiritueux et également propriétaire du château Lagrange dans le Medoc. Suntory a été créé à la fin du XIXe siècle par des viticulteurs nippons, qui cultivaient la vigne sur les pentes du mont Fuji-Yama. Ils ont si bien réussi à vendre leur vin que leurs héritiers, toujours groupés en société familiale autour de Keizo Saji, sont les premiers importateurs de vins de Bordeaux dans leur pays.

L'alliance de ces deux groupes se concrétisa avec la formation de Grands Millésimes de France, holding créée par la G.M.F. en

1989 pour structurer l'ensemble de ses activités viticoles. Outre ses capitaux, Suntory apporta un réseau de distribution mondial, et une position phare pour la commercialisation des vins dans le Sud-Est asiatique. En outre, la puissance financière n'impliquait nullement que l'on abandonnât méthodes traditionnelles et quête de l'excellence. De ce point de vue, la création du Centre international d'art contemporain château Beychevelle en 1990 constitue une synthèse heureuse entre la force du capital, la continuité historique avec la restauration du «Versailles bordelais» et l'innovation de luxe grâce à l'ouverture d'une sorte de «Villa Médicis» du Bordelais où des artistes sont livrés à leur seule inspiration.

LA PÉRENNITÉ DU SOL

Et le vin dans tout cela ? Eh bien, grâce à la volonté des hommes, et à un coup de pouce bienfaisant de Dame Nature, Beychevelle connaît depuis quelque temps une succession de millésimes délicieux. Depuis 1983 et plus encore depuis 1986, la politique de sélection, les soins du maître de chai et le concours du chef de culture ont incontestablement hissé vers le haut la qualité générale. Ce qu'il est convenu d'appeler à Bordeaux les «Trois Glorieuses», 1988, 1989 et 1990, en témoigne. Il est vrai que le terroir n'a jamais eu à supporter les successions, les bouleversements, les ventes ou les changements survenus au château. Symbole de la pérennité du grand vin, il recouvre aujourd'hui exactement le même vignoble qu'au XVIIIe siècle, à la parcelle près. Sur le plan géologique, ce terroir est composé de graves garonnaises classiques, c'est-à-dire de sables et de graviers roulés par la Garonne, la Dordogne, puis la Gironde, et déposés en couches successives sur la rive gauche du fleuve. Ces galets alluvionnaires semblent relever de la même formation sous les vignes de Beychevelle, de Branaire, de Gruaud-Larose et de Lagrange. D'où un cousinage aromatique à soumettre aux experts, si par bonheur on pouvait goûter ces quatre crus ensemble, ce qui constitue à l'évidence plus une récréation qu'une corvée... Il reste qu'à ce terroir très homogène, s'ajoutent sept hectares de vignes récemment acquis au nord de l'appellation, près de la famille des trois Léoville. Les cailloux y sont fort semblables, et les graves tout aussi günziennes, mais les puristes savent que l'on trouve par là les prémices d'une nature plus pauillacaise : et donc l'ébauche d'une différence infime, mais sensible...

Avec quatre-vingt-six hectares plantés, le vignoble de Beychevelle apparaît aujourd'hui comme une unité de production en parfait état de marche. L'encépagement du domaine est classique : 60 % de cabernet sauvignon, 28 % de merlot, 8 % de cabernet franc et 4 % de petit verdot. Les cépages malbec et carmenère, jadis très répandus en Médoc, ont également été plantés à Beychevelle, mais abandonnés progressivement en raison de leur fragilité au gel, à la coulure ou aux maladies. L'amateur attentif observera aussi que les vignes ont été plantées dans l'axe est-ouest. C'est pour permettre au vent dominant, qui souffle de l'ouest, de rentrer dans les vignes pour les aérer sans les secouer. Et de la sorte de les assainir en douceur. Enfin, une autre caractéristique du domaine, qui influe directement sur la qualité du vin, relève des vinifications. Le professeur Peynaud les résume en deux phrases : «Dans les grands vins, il y a toujours un contraste entre la quantité des tannins et leurs qualités. A Beychevelle, pour extraire des tannins savoureux, il faut une cuvaison aussi longue que possible.»

Pendant très longtemps, le vin de Beychevelle avait la réputation d'être léger et féminin, plus proche des délicats margaux que des robustes pauillac. L'argument n'est pas tout à fait faux, mais doit être nuancé. On relèvera par exemple que dans des millésimes peu cotés comme 1967 ou 1957, Beychevelle a dominé son sujet, et a «sorti» des bouteilles supérieures aux productions de crus mieux classés. Cette régularité dans les années difficiles n'est pas la marque d'un vin «léger», et son aptitude à vieillir encore moins. En revanche, il est clair que la structure tannique du Beychevelle lui permet d'être bu sans doute un

peu avant les autres. Nul besoin d'attendre quinze ou vingt ans pour oser déboucher la bouteille. Son élégance et sa complexité aromatique, toujours assortie d'une souplesse raffinée, en font un vin ouvert dès l'âge de dix ans. Est-ce là une marque personnelle et une particularité de certains Saint-Julien ? Le professeur Peynaud n'y croit pas : «On peut trouver des vins fins partout. Lafite peut faire des vins légers et aromatiques ; on trouve cela dans toutes les appellations, même à Saint-Estèphe. Je ne crois pas qu'il y ait de style communal... La population médocaine est composée de races mixtes...»

Le vieux domaine de Beychevelle est en train de boucler son huitième siècle d'histoire. La Gironde a beaucoup coulé sous ses fenêtres depuis que le premier occupant s'est installé là, peut-être pour pouvoir la contempler en secret. Avec un tel passé derrière lui, le château prend le risque de ne plus être de la première jeunesse. Grossière erreur. Nous sommes sur une terre où c'est bien une grande vertu que de prendre de la bouteille. A l'heure où il va changer de siècle et de millénaire, le château puise dans ses racines profondes tout ce qu'il faut pour affronter l'avenir paisiblement. On sait depuis la Bible et l'Antiquité que la civilisation du vin est une indissociable complice de l'homme. Il nous reste maintenant à visiter la cave de Beychevelle, un verre à la main, pour nous convaincre que son vin est depuis longtemps un artisan de cette civilisation.

DÉGUSTATION

CENT VINGT ANS DE BEYCHEVELLE

L'âme du vin chante dans la bouteille, et le vin est l'âme de Beychevelle. La vigne existait ici même avant la construction du château actuel. C'est donc la plus ancienne occupante des lieux. Nul ne saurait prétendre connaître ce très vieux domaine s'il ne voulait percer les secrets de son vin. A sa manière, il nous renseigne sur l'histoire des millésimes, les années sèches, tanniques ou difficiles, les évolutions de vinifications, les politiques de sélection. Le vin est un témoin vivant du passé ; il nous parle d'autrefois au présent.

D'où le sens de cette dégustation «verticale», qui couvre cent vingt ans de l'histoire de Beychevelle, à travers cinquante millésimes différents. Elle se veut le reflet fidèle de quatre dégustations distinctes, organisées au château lui-même, en novembre 1990. Elles ont rassemblé l'équipe permanente de Beychevelle : Aymar de Baillenx, directeur de Grands Millésimes de France, Yves Fourault, directeur commercial, Maurice Ruelle, régisseur, et Lucien Soussotte, maître de chai. Autour d'eux, Daniel Lawton, courtier en vins de Bordeaux, Pascal Ribéreau-Gayon, directeur de l'Institut d'œnologie, Thierry Manoncourt, propriétaire du château Figeac, Éric Fournier, président des vins de Saint-Émilion, et Didier Ters, journaliste à *Sud-Ouest*, ont participé, à cette exaltante remontée dans le temps.

Seuls ont été dégustés des vins provenant de la cave du château. Le degré de conservation des bouteilles les plus anciennes a montré combien cette cave est remarquable. Les vins ont bénéficié de conditions de vieillissement optimales, à température et taux d'humidité constants, avec ouillages et rebouchages réguliers, et décantation attentive au dernier moment. Il est sûr que des bouteilles ayant circulé dans plusieurs pays, entrepôts, celliers ou magasins présenteront des évolutions dissemblables. La confirmation vient d'en être donnée avec la comparaison de bouteilles de Beychevelle 1983 conservées au château et de bouteilles du même millésime ayant effectué plusieurs traversées de l'Atlantique à bord du paquebot *Queen Elisabeth* : il s'agissait de deux vins absolument différents !...

Cette dégustation est présentée dans l'ordre où elle a eu lieu, c'est-à-dire du plus vieux vers le plus jeune, selon une chronologie normale et adéquate. Les derniers millésimes relèvent d'impressions encore floues, quoique prometteuses. L'histoire de Beychevelle ne s'arrête pas à eux ; le lecteur pourra ajouter ses propres impressions à l'image du collectionneur glissant de nouveaux intercalaires dans son album de timbres. Le vin est fait pour être bu, dégusté, commenté, célébré. Alors, allons-y...

1870 C'est sans doute la plus grande année du XIXᵉ siècle. et sûrement l'une des plus grandes de tous les temps. Antérieur au phylloxéra. ce millésime est ahurissant de jeunesse et de fraîcheur. Nez bien présent de fruits confits et de pâte de coing. aucune fatigue en bouche. une belle longueur avec une petite finale tannique pleine de vivacité. Une concentration qui a dû être énorme. pour un vin à qui on donnerait facilement cinquante ans de moins. «Une émotion rare» pour Daniel Lawton : une bouteille historique et inoubliable.

1874 Nez très fin. couleur belle et brillante. une pointe de rancio qui se combine avec une petite note métallique. léger mais présent et bien fondu. Encore un vin préphylloxérique parfaitement debout. L'encépagement supposé de l'époque était : cabernets. petits verdots. malbecs et carmenères. Une bouteille sur le déclin. mais pleine de charme.

1893 Une année historique puisque les vendanges ont commencé le 15 août. et que les volumes récoltés furent d'une abondance exceptionnelle. Nez frais. mais assez pâle et inexpressif : arômes assez discrets en bouche : de la finesse et de l'élégance pourtant. qui font dire à Maurice Ruelle : «Il a l'éclat de la vieillesse, mais il n'est pas fané.»

1895 Une année de grosse chaleur. qui a donné ici un vin remarquable. Nez très fruité avec des arômes de poire. très complexe en bouche. persistant et tannique, avec beaucoup de richesse et d'harmonie. «Qu'est-ce qu'il est long !» s'exclame Lucien Soussotte. «Un vin très racé» pour Pascal Ribéreau-Gayon qui lui trouve une «complexité étonnante». Très grande bouteille.

1899 L'un des meilleurs millésimes du siècle dernier. qui donne ici une bouteille stupéfiante de jeunesse et de puissance. Bien typé cabernet. le vin est long et harmonieux. sans aucune astringence tannique. On relève des notes de confit et de fumé. des arômes de coing et de chocolat. Un niveau de qualité comparable à celui du 1870. et un vin grandiose qui fait beaucoup plus jeune que son âge.

1909 Joli nez de tabac et de chocolat, belle attaque et présence très élégante, malgré une finale un peu fuyante. L'explosion aromatique est brillante. «Je suis surpris par tant de complexité», avoue Pascal Ribéreau-Gayon. Un vin très supérieur à la piètre réputation du millésime.

1911 Couleur brune nettement tuilée, superbe nez de vanille, de rose et de café, un charme enrobant toute la bouche. C'est un vin un peu court, mais plein d'élégance et de fraîcheur. Il a plus de féminité que de persistance, mais commence à décliner. Bien typé vieux médoc.

1926 Suite à une grande coulure, ce fut une petite récolte... mais de grande qualité. Nez de lilas et de cacao, très concentré et très puissant. «Il est rare qu'un vin vieux m'ait donné autant de plaisir. C'est franchement éblouissant», annonce Pascal Ribéreau-Gayon. Très long et très riche, il donne l'impression d'avoir encore de l'avenir. Avec ses tannins gras, fondus, aristocratiques, il fait parler son terroir avec une classe envoûtante.

1928 C'est l'une des plus belles années du vignoble de Bordeaux, qui donna des vins pesant jusqu'à quatorze degrés, phénomène rarissime pour l'époque. Les vins ont toujours été considérés comme «durs» et Beychevelle n'échappe pas à la règle. Tannique, viril, puissant, il est encore très ferme, et montre une constitution d'athlète. Ce qui lui enlève du charme lui donne une riche matière. Une bouteille conforme à la réputation du millésime et que l'on pourra ouvrir pour fêter l'An 2000.

1929 Une année quasi mythique dans le Médoc, dont les plus vieux vignerons parlent encore avec émotion. Le vin affiche une sorte de grâce vieillissante, pleine de charme ; c'est de la dentelle au petit point, où domine la délicatesse. Beaucoup plus féminin et léger que le 1928, il forme avec lui un couple rare, qui vieillit avec distinction. Un vieillard droit et racé qui impose le respect.

1931 Un vin témoin de son temps, reflet d'un millésime complètement oublié, toujours jugé médiocre, et que le négoce acheta en vrac. Le Beychevelle 1931 est une découverte passionnante, avec un nez fin de feuilles mortes, une robe très tuilée, et une longueur honorable, quoique dans un registre assez court. L'ensemble est léger, mais sans défaut majeur. Une bouteille de collectionneur, à regarder comme un objet de musée.

1934 Couleur évoluée mais bien brillante, nez relativement discret, révèle en bouche une grosse charpente, avec de la persistance et même une pointe d'acidité. C'est un vin vigoureux, ferme et tannique, typé cabernet, qui compense son manque de charme par une carrure imposante. Tout à fait conforme à l'image du millésime.

1937 C'est la meilleure année d'une décennie plutôt décevante. Devant la chaleur de l'été, le négoce acheta sur souches des récoltes entières (Cantemerle, Cheval Blanc, Beychevelle). Longtemps durs et austères, les vins n'ont jamais déçu. «On sent bien que c'est un grand millésime», avoue Daniel Lawton, devant un bouquet très complexe, une couleur profonde, et un fond tannique, qui lui donne de l'ampleur et de la longueur. Vin un peu raide, mais de belle allure.

1938 Encore une découverte dans un millésime complètement inconnu. Un peu fané mais du charme, de la finesse et aucun goût de «trop vieux». Des arômes vieillissant avec élégance, et une rondeur agréable de bout en bout. Cette bouteille inattendue montre l'art de Beychevelle de faire du bon vin dans les années difficiles. Sur une décennie presque maudite, le château peut ouvrir quatre millésimes sans rougir, ce qui paraît être le record du genre.

1943 La seule bonne année de la guerre, qui a succédé à une longue série de millésimes médiocres. Le vin est marqué par la maturité des raisins, une mâche dense et serrée, et une matière très noble. «Très typé Saint-Julien», pour Thierry Manoncourt, il est aussi l'archétype de ce millésime. Beaucoup de présence, de fraîcheur et de classe. Un vin ferme et racé, qui n'accuse pas l'ombre d'une fatigue.

1945 Toute petite récolte du fait d'une gelée désastreuse le 2 mai. Vendange début septembre après un été caniculaire. Ce vin est l'un des meilleurs Beychevelle, avec un nez impressionnant, une concentration énorme et une longueur en bouche qui n'en finit pas. «Une amplitude exceptionnelle» pour Daniel Lawton ; «du gras et de la puissance» pour Yves Fourault. Sa constitution exceptionnelle et sa richesse aromatique un peu fascinante font qu'il a encore de l'avenir devant lui. Magnifique bouteille.

1947 Un été caniculaire a donné des raisins très mûrs, et un vin aujourd'hui très parfumé. Arômes épicés, voire exotiques, se combinent avec des effluves de venaison et de tabac. Bonne matière tannique, équilibre parfait, finale bien nette, c'est un vin épanoui avec beaucoup de présence.

1948 On retrouve le nez floral, la finesse et la délicatesse du Beychevelle. «Très friand et onctueux» pour Yves Fourault, ce vin réhabilite complètement le millésime 1948 qui n'a souffert que d'avoir été coincé entre deux années hâtivement jugées bien meilleures que lui. C'est un vin bourré de charme et d'agrément, parfaitement prêt à boire, tout en suavité, tendre et féminin. Très jolie bouteille.

1955 Réussite assez générale en Médoc après des mois d'août et septembre très chauds. Réussite aussi à Beychevelle, avec un vin classique, présentant des arômes de coing, de pomme cuite et de caramel. Ensemble raffiné, épanoui et harmonieux, avec une mâche très lisse. «C'est un très bon vin. C'est même un grand vin», observe Thierry Manoncourt.

1957 Petite récolte consécutive aux terribles gelées de 1956. Un vin un peu cru, tannique, voire herbacé, mais très ferme en bouche. Des arômes de bois, d'écorce et de framboise percent sous la rudesse un peu austère du millésime. Lequel n'a jamais été prisé, mais fournit ici une bouteille honorable.

1959 Un nez de pain grillé dévoilant une élégance somptueuse ; arômes de tabac et de vanille, avec une attaque presque voluptueuse, et «une richesse de goût exceptionnelle» pour Daniel Lawton. C'est bien le grand Saint-Julien qui allie la puissance et l'élégance. Le bouquet, la mâche, la longueur : tout est remarquable. Une bouteille qui allie complexité et plaisir.

1960 Le type même du vin léger qui a évolué rapidement. «Un charme désuet qui fait partie du passé» selon Yves Fourault. Le vin manque de corps et d'ampleur, comme la plupart des vins de ce millésime froid et pluvieux.

1961 On sait qu'il s'agit d'une année d'anthologie... Il est difficile de faire mieux que ce bouquet exceptionnel d'épices, de champignons et de fruits très mûrs ; une complexité et une rondeur éblouissantes ; du gras, du charme, de l'élégance, rien qui accroche : l'explosion aromatique domine de bout en bout. Puissamment racé, ce vin fait la synthèse parfaite d'un grand millésime sur un grand terroir.

1962 Nez exceptionnel de cuir et de truffe, très typé Saint-Julien. De la puissance, beaucoup de subtilité et d'harmonie, avec des parfums discrets de chocolat et de café. Une bouteille pleine de brio et de vivacité, qui confirme que le 1962 est une réussite à Saint-Julien, et souffre injustement d'avoir été éclipsé par le 1961, dont il se rapproche, pourtant, secrètement.

1964 Les vendanges ont été volontairement précoces à Beychevelle, et tous les merlots étaient en cuves lorsque la pluie a commencé à tomber. Beau bouquet de

fleurs et notamment de violette ; un vin élégant, que l'on peut déguster sans problème aujourd'hui.

1966 Très typé Beychevelle selon Maurice Ruelle, ce vin est l'une des plus grandes réussites du domaine. Nez de poivre et d'épices remarquable, couleur sombre et profonde, longue mâche, avec des tannins complexes et généreux. Un grand classique d'une ampleur somptueuse. Il a encore de l'avenir, mais déjà quel plaisir...

1967 C'est une année moyenne en qualité comme en quantité. Attaque ferme et friande, avec une petite raideur bien médocaine que l'on peut attribuer au cabernet sauvignon. Le nez est assez discret mais le vin affiche de la fraîcheur et de la finesse. Il laisse la bouche très parfumée, après une finale un peu rapide.

1969 Malgré une couleur bien soutenue, le vin est fané. Le millésime a souffert d'un mois de septembre terriblement pluvieux. Sans défaut majeur, le vin est plutôt terne, et assez inexpressif. Il manque de charme et de rondeur.

1970 Beau nez de pain grillé, couleur à peine tuilée, arômes de belle maturité. Daniel Lawton y trouve «un bouquet de truffe très prononcé», et ce vin frappe aussi par sa jeunesse. Il garde visiblement de la réserve et une pointe d'austérité. Malgré son élégance, il finit avec raideur, et pourrait bien n'être pas encore tout à fait épanoui. Marqué par une évolution lente mais imprévisible, ce vin est à surveiller de près.

1971 Après une coulure catastrophique des merlots en juin, ce vin est dominé par le cabernet. «Tendre», «un peu mince», «élégant», «charmeur», il est harmonieux et plaisant, avec des arômes de cèdre et de résine, et une finale souple, mais très agréable. A ouvrir sans tarder.

1973 Millésime inégalement réussi, après un mois d'août tropical et un mois de septembre polaire. La récolte fut très abondante. Le vin manque de complexité, mais pas de charme. L'attaque est vive, voire rigoureuse ; le nez est bien marqué avec des senteurs de sous-bois et d'automne ; du corps, de la fermeté, mais une finale courte. Voilà un vin parfaitement prêt à boire.

1974 Le même style que le précédent, avec un fond de bouche plus harmonieux quoique plus souple. Là encore, Beychevelle réussit bien un millésime très moyen ailleurs. Le vin est vif et harmonieux et enrobe bien la bouche. Des tannins élégants, malgré une légère astringence finale. Autre bouteille à boire sans attendre.

1975 Nez relativement réservé, avec une retenue qui se retrouve en bouche. Couleur très dense, tannins très mûrs, c'est un vin profond et ample qui ne révèle pas encore tout ce qu'il a. «Truffé et concentré», observe Maurice Ruelle, qui lui trouve aussi «beaucoup de mâche, mais avec un petit peu de dureté». Ce 1975 ne manque ni de longueur ni de puissance, mais c'est un athlète massif, voire «mastoc», qui a besoin de quelques années d'entraînement supplémentaires. A revoir au XXIᵉ siècle.

1976 Très beau nez, complexe, de feuilles, de châtaignes et de fleurs. C'est l'année dite «de la grande sécheresse» qui a donné ici un vin subtil, féminin, marqué par une structure soyeuse, veloutée, voire satinée. A la fois délicat et délicieux, il paraît si séduisant aujourd'hui qu'on peut en faire l'un des meilleurs 1976 de sa catégorie. Inutile de le faire attendre : il est totalement épanoui.

1977 Nez de venaison avec un fond végétal un peu herbacé, fond de bouche honorable, mais finale aride. Les arômes ne sont pas déplaisants mais parfaitement atypiques. Il faut dire que la neige, le gel et la pluie n'ont pas cessé de tomber sur ce millésime, décrié avant que d'exister.

1978 Vendanges en octobre après un printemps pluvieux et un mois de septembre très chaud. La robe commence à peine à tuiler, et le nez demeure fermé. Les tannins assez agressifs du cabernet rentrent dans les gencives. Ce vin un peu rude est encore jeune. Costaud et viril, il a besoin d'attendre pour montrer sa richesse sous un jour plus charmeur.

1979 Remarquable bouquet de cassis et de pruneau, onctueux en bouche, avec une belle ampleur. Gras, rond et fruité, il donne un plaisir fou, avec des tannins complètement fondus. Beaucoup d'arômes et de persistance, bref, la grande classe. L'un des meilleurs Beychevelle de la décennie 1970.

1980 Un millésime généralement peu flatteur, qui a connu des fortunes diverses. Mais pour quelques réussites notoires, combien de bouteilles aujourd'hui dépassées, surtout si elles ont voyagé. Le Beychevelle 1980 a de l'agrément à défaut d'avoir de l'avenir, et il vaut mieux l'avoir bu dans sa belle jeunesse. Restent encore une harmonie certaine et une présence en bouche incontestable.

1981 Beau nez de cabernet avec un léger boisé : une attaque ferme, une allure fringante et juvénile, des tannins présents mais sans agressivité : voilà un bon classique, avec une accorte rondeur et encore de l'avenir. C'est un vin qui commence juste à s'ouvrir, et paraît typique du terroir et de l'appellation Saint-Julien. Les amateurs de vins jeunes peuvent le boire ; les autres attendront.

1982 Très beau nez de fruits et de confitures. Très complexe, ce vin mêle, avec une sorte de génie secret, la puissance et la douceur, ce qui paraît être la marque de ce millésime si attachant. Parfums de pruneau, tabac, vanille, épices, tout cela en symphonie. Très grande bouteille, à évolution lente, qui devrait être à son apogée pour fêter l'an 2000.

1983 Vendanges très chaudes, raisins très mûrs, et arômes très confits. Ce vin affiche une belle matière, et révèle beaucoup de personnalité. Le fruité et le rôti dominent dans une structure opulente et sensuelle. Commence à se goûter grâce à une rondeur pulpeuse qui compense la finale encore trop raide. Bouteille intéressante.

1984 A peine 8 % de merlot dans ce vin marqué par une coulure légendaire. Un bon petit nez de fourrure et de gibier, et une tenue en bouche agréable. Mais, sauf cas exceptionnel, le millésime n'a rien donné d'éblouissant. Un vin parfait pour le déjeuner, à boire rapidement.

1985 Avec un été très beau et un automne très chaud, ce millésime est déjà entré dans l'histoire par la grande porte. Le volume en bouche est impressionnant avec arômes de bois, de vanille et d'épices. Ce vin n'est qu'élégance, raffinement, harmonie. C'est le charme même, envoûtant de séduction, un peu oriental... L'un des plus grands Beychevelle, résultat d'une rigoureuse politique de sélection et d'un apport massif de barriques neuves. Grandissime réussite.

1986 Comparable au précédent sur le plan du volume et de la nature du vin, mais beaucoup plus réservé. Très puissant, mais encore sévère, avec des tannins serrés : un beau ténébreux qu'il faut oublier dix ans dans sa cave : il révélera alors des trésors de complexité, et un volume considérable. 1986 est l'un des plus grands millésimes de Saint-Julien. Cela se décèle déjà.

1987 Joli nez de bois et de pain grillé, beaucoup de rondeur et de charme, un agrément indéniable et une harmonie évidente. Ce vin n'est certes pas taillé pour durer vingt ans. Voilà une bonne bouteille à commander au restaurant. On reparlera des 1987 dont le rapport qualité/prix est plus favorable que les 1984.

1988 Encore fortement marqué par le bois des barriques de chêne neuf où il a vieilli, ce vin montre toutefois une ampleur colossale. Il s'apparente au 1986 par le volume, et pourrait être assez long à s'ouvrir. Un grand classique, très médocain, à attendre impérativement jusqu'à 2010 au moins.

1989 De l'intensité, de la suavité, de l'onctuosité, de la densité... on a déjà beaucoup commenté ce millésime historique par sa chaleur et sa précocité. Dominé par la grande maturité des raisins et les arômes de fruits rouges, le vin présente beaucoup de mâche, et déjà beaucoup de plaisir. Les 1989 seront sans doute assez atypiques.

Quant au 1990, dont nous avons seulement contemplé les barriques, la chaleur de l'été, l'état sanitaire du vignoble, le soleil des vendanges, la maturité des raisins, tout concourt à faire de ce millésime une nouvelle très grande année. Cette succession de trois récoltes magnifiques est déjà surnommée à Bordeaux «les trois glorieuses». C'est sur cette «gloire» du vin que s'achève, naturellement, cet ouvrage...

Lucien Soussotte, maître de chai

L'auteur tient à exprimer sa gratitude aux personnalités
dont les noms suivent,
sans qui cet ouvrage n'aurait pu être mené à bien :

Mmes. Armand Achille-Fould, Aymar Achille-Fould, Isabelle Harchi.
MM. Pierre-Antoine Dupuy, Yves Fourault, Nicolas de Rabaudy,
Pascal Ribérau-Gayon, Anthony Rowley,
Maurice Ruelle,Guy Schyler, Lucien Soussotte, Didier Ters.

RÉFÉRENCES D'ARCHIVES

Inventaire des titres de Baissevelle, établi de 1627 à 1634.
Acquisitions, aliénations, affermes, donations, échanges, hommages féodaux, inventaires des archives, reconnaissance de Pauillac, Saint-Julien de 1330 à 1624, baillettes, terriers. – Provient d'archives privées.

Contrat de besogne du 8 mars 1644 entre Gassiot Delerm et Pierre Coutereau et le deuxième duc d'Épernon, passé devant Mᵉ Capdaurat, notaire à Cadillac, et contrat du 9 mars 1644 entre Pierre Musset, maître charpentier, et du deuxième duc d'Épernon, passé devant Mᵉ Capdaurat, notaire à Cadillac. – Archives départementales de Bordeaux.

Aveu et dénombrement de 1694. – C 4.150 Archives départementales de Gironde.

Vente de Beychevelle, du 9 juin 1701, Mᵉ Vatel, notaire à Paris.

Inventaire après décès, 17 novembre 1740, devant Mᵉ Lacoste, notaire à Bordeaux. – Cote 3 E 7393. Archives départementales.

Cadastre de Beychevelle, aux environs de 1760. – Titres féodaux I E n° 57. Archives départementales.

Note pour M. Guestier, chez Georges Bertrand, notaire, Bordeaux. – Imprimerie Lannefranque, 1853. Archives de Beychevelle.

Carte de Belleyme, pour le Médoc, 1780-1790.

Vente devant Mᵉ Maillère, notaire à Bordeaux, du 18 thermidor an IX (7 juillet 1801). – Archives départementales de Bordeaux.

BIBLIOGRAPHIE

René Pijassou, *Le Médoc*, 2 t., 1980.
Revue des Archives historiques de la Gironde, t. 38 et 44.
Bulletin de la Société archéologique de Bordeaux, t. 9, 10, 68, 72.
Bertall, *Les Grands Crus du Bordelais*, 1876, "Beychevelle", p. 181-217.

Réalisation PAO: OCTAVO - Paris
Photogravure : COLOURSCAN France - Paris
Reliure : NRI - Auxerre

Achevé d'imprimer le 20 mars 1991
sur les presses de l'imprimerie Jean Lamour (Nancy)
pour le compte des Éditions Olivier Orban,
3, rue de l'Éperon, 75006 Paris

N° d'édition : 682 N° d'impression :
Dépôt légal : avril 1991
Imprimé en France